Y CLWB
CYSGU CŴL
YN GWERSYLLA

Y CLWB
CYSGU CŴL
YN GWERSYLLA

Fiona Cummings

Addasiad Siân Lewis

GOMER

Argraffiad cyntaf—2001

Hawlfraint y testun: © Fiona Cummings, 1999

ⓗ y testun Cymraeg: Siân Lewis, 2000 ©

ISBN 1 85902 922 1

Teitl gwreiddiol: *Sleepover Girls at Camp*

Cyhoeddwyd gyntaf ym Mhrydain yn 1999
gan HarperCollins Publishers Ltd.,
77-85 Fulham Palace Road, Hammersmith
Llundain, W6 8JB

Mae Fiona Cummings wedi datgan ei hawl dan
Ddeddf Hawlfraint, Dyluniadau a Phatentau 1988
i gael ei chydnabod fel awdur y llyfr hwn.

Dymuna'r cyhoeddwyr gydnabod cymorth
Adrannau Cyngor Llyfrau Cymru.

Argraffwyd gan
Wasg Gomer, Llandysul, Ceredigion SA44 4QL

Cit Cysgu Cŵl

1. Sach gysgu ✓
2. Gobennydd ✓
3. Pyjamas neu ŵn nos (coban i Sara!)
4. Slipers
5. Brws dannedd, pâst dannedd, sebon ac yn y blaen ✓
6. Tywel ✓
7. Tedi ✓
8. Stori iasoer ✓
9. Digon o fwyd ar gyfer tair gwledd ganol nos
10. Tortsh
11. Brws gwallt ✓
12. Pethau gwallt – bòbl, band gwallt, os wyt ti'n eu gwisgo nhw
13. Nicers a sanau glân
14. Dyddiadur y Clwb a cherdyn aelodaeth

PENNOD UN

Wyt ti'n hoffi mynd i chwarae yn y parc? Dwi wrth fy modd – yn enwedig ar y siglen! Does dim yn well na hedfan i'r awyr ac yna disgyn – swishhhh! Dwi'n meddwl y dylai pawb fynd ar y siglen bob yn hyn a hyn i glirio'u pennau. Oedolion hefyd. Yn enwedig oedolion.

Mae fy ffrindiau'n meddwl 'mod i'n hanner call. Maen nhw'n dweud wrtha i:

'Mel, wyt ti'n siŵr mai ti sy'n mynd â Ben i'r parc? Neu Ben sy'n mynd â ti?'

Rhag ofn fy fod ti wedi anghofio, Ben yw fy mrawd i sy'n bedair oed. Mae e braidd yn wyllt. Mae'n well gan Ben esgus bwrw pobl ar eu pennau gyda'i gleddyf tegan na chwarae ar y siglenni. Ond mae Sbeic, fy mrawd lleia, yn hoffi'r parc, felly dwi'n mynd ag e'n go aml. Ond dim heddiw. Heddiw dwi'n cwrdd â gweddill y Clwb Cysgu Cŵl. Fe gei di ddod hefyd, os wyt ti eisiau. Na, mae'n *rhaid* i ti ddod, achos dwi am ddweud wrthot ti am ein hantur ddiweddara. Roedd hi'n mega-cŵl.

Rydyn ni i gyd yn perthyn i Adran yr Urdd. Wyt ti'n cofio? Wel, ychydig dros fis yn ôl dwedodd Nia'r Urdd ein bod ni'r merched yn mynd i wersylla am bedwar diwrnod, gan fod y bechgyn i gyd yn mynd ar gwrs pêl-droed.

'I ble ydyn ni'n mynd?' gofynnais. 'I Langrannog eto? Mae Llangrannog yn grêt!'

Ysgydwodd Nia ei phen.

'I Glan-llyn?' gofynnodd Sara'n gyffrous. 'Mae fy chwaer wedi bod yng Nglan-llyn.'

'Nage,' meddai Nia. 'Fe fyddwch chi'n mynd i Lan-llyn flwyddyn nesa. Rydyn ni wedi cael gwahoddiad gan griw o ferched o Gastell-nedd i fynd gyda nhw i Gwm Cadno i aros mewn pebyll.'

'Waw!' gwaeddodd Sam. 'Edrychwch ar y bechgyn. Maen nhw mor siomedig!'

''Na ddigon, Helen Samuel,' meddai Nia gan edrych yn gas arni.

Roedd Sam yn edrych yn gas hefyd. Dyw hi ddim yn hoffi cael ei galw'n Helen. Mae e'n enw rhy 'ferchetaidd'!

'Beth fyddwn ni'n wneud yn y gwersyll?' gofynnodd Ali'n frysiog cyn i Sam fynd dros ben llestri.

Ali yw arweinydd answyddogol y Clwb Cysgu Cŵl. Mae hi mor gall, ti'n gweld.

'Wel, fe fyddwch chi'n helpu i godi'r pebyll i ddechrau, wedyn fe gewch chi abseilio, canŵio, dringo wal, defnyddio bwa a saeth . . .'

'Mega-mega-cŵl!' chwarddodd Sam. 'Mwy cŵl na llond ffrij o hufen iâ!' Roedd hi wedi cynhyrfu cymaint roedd hi bron â bod yn sboncio fel pêl.

Trois i at Ffi, a oedd yn eistedd wrth fy ochr. 'Edrych ar Sam!' dwedais. Ond yna fe sylwais ar wyneb Ffi. Doedd dim golwg hapus arni o gwbl. 'Be sy'n bod arnat ti?' gofynnais. 'Dwi'n casáu pethau fel 'na,' llefodd Ffi. 'Dwi ddim y math o berson fyddai'n hoffi abseilio.'

Roedd Ffi'n hollol iawn. Dyw hi ddim yn berson awyr agored. Rho di botel o farnais ewinedd a phentwr o gylchgronau i Ffi ac mae hi mor hapus â'r gog. Ond disgyn dros wal ar raff? Allai hi ddim meddwl am ddim byd gwaeth. Mae Ffi'n dwt iawn ac yn hoffi bywyd tawel a chysurus.

Ro'n i'n teimlo trueni dros Ffi. Allwn i ddim help. Roedd pawb arall mor gyffrous ac yn edrych ymlaen at fynd i'r gwersyll, ac roedd Ffi'n cael ei gadael allan. A dyna rywbeth arall mae Ffi'n ei gasáu – cael ei gadael allan.

'Faint fydd y pris?' gofynnodd Sara'n dawel i Nia.

Edrychodd pawb arall yn ofidus ar ei gilydd. Ers i'w thad adael cartre mae Sara weithiau'n poeni am arian. Ond gan fod ei thad wedi talu am drip i Sbaen iddi unwaith, gyda lwc fe fyddai'n fodlon talu eto.

'Dwi ddim yn siŵr eto,' meddai Nia, 'ond dwi ddim yn meddwl y bydd e'n ddrud iawn gan fod merched Castell-nedd yn dod gyda ni. Mwya i gyd o bobl fydd yno, lleia'n y byd fydd e'n gostio.'

'O, gwych!' meddai llais main. 'Mae ein ffrindiau Seren ac Amanda'n dod o Gastell-nedd, on'd ydyn nhw, Emily?'

Iych! Emma Davies oedd piau'r llais. Hi ac

Emily Mason – yr M&Ms – yw ein gelynion penna. Am eiliad ro'n i wedi anghofio eu bod yn dod i'r Adran. Ac wrth gwrs fe fyddai'r Ddwy Ddraenen Bigog yn dod i'r gwersyll hefyd. Yn sydyn ro'n i'n amau a oedd e'n syniad da.

'Nawr a wnaiff pawb sy eisiau dod i Gwm Cadno godi eu dwylo i fi gael eich rhifo chi,' meddai Nia.

Tasgodd dwylo Sam, Ali, Sara a fi i'r awyr. Cododd yr M&Ms iych-pych eu dwylo hefyd a'u ffrind Alana 'Banana' Palmer, a rhai o'r merched eraill.

'Ffion, pam nad wyt ti wedi codi dy law?' meddai Anti Mai. Modryb Ffion yw Anti Mai ac mae hi'n helpu Nia yn yr Adran.

Welais i neb erioed yn edrych yn debycach i domato. Roedd hyd yn oed gwallt Ffi'n dechrau troi'n goch.

'Y . . . dwi ddim yn siŵr,' meddai.

Chwarddodd yr M&Ms yn slei.

'O Ffion, byddi di wrth dy fodd,' meddai Anti Mai wrthi. 'Mae dy ffrindiau di i gyd yn mynd. Dwyt ti ddim eisiau cael dy adael allan, wyt ti?'

Clyfar iawn, Anti Mai! Dyna'r ffordd orau i

wneud i Ffi newid ei meddwl! Yn ara bach cododd Ffi ei llaw.

'Hwrê!' gwaeddodd Sam gan neidio ar ei thraed. 'Bydd e'n mega! Fe gawn ni dri chyfarfod o'r Clwb Cysgu Cŵl un ar ôl y llall yn y gwersyll.'

'Fe fydda i wedi paratoi llythyr i'ch rhieni erbyn yr wythnos nesa,' meddai Nia. 'Bydd e'n dweud faint fydd pris y gwersyll. Ac os ydych chi am ddod, dewch â'r arian yr wythnos ar ôl hynny.'

Wel, roedden ni ar bigau'r drain drwy'r wythnos. Alli di ddychmygu?

'Dwi wedi cael digon!' snwffiodd Ffi. Prynhawn dydd Sadwrn oedd hi, ac roedden ni yn stafell wely Ali yn siarad am y gwersyll, fel arfer. 'Dwi wedi cael llond bol o glywed am yr hen wersyll 'na. Allwn ni ddim siarad am rywbeth arall?'

'Be? Colur?' dwedais.

'Neu ddillad?' gofynnodd Ali.

'Neu Rhidian Scott?' gofynnodd Sam gan esgus cusanu Stanli, tedi Ali.

'Ca' dy ben!' meddai Ffi'n gas.

12

'Gwell i ti beidio â dod,' meddai Sara. 'Ond be fyddi di'n wneud ar ben dy hunan bach pan fyddwn ni i ffwrdd?'

Edrychodd Ffi'n ofidus iawn. Doedd hi ddim wedi meddwl am hynny. Roedd hi'n dawel am foment ac yna meddai, 'Wel, be fyddwn ni'n wneud yn y gwersyll 'ma? Fydd dim *rhaid* i ni wneud pethau peryglus, fydd e?'

'Na fydd,' meddai Sara'n garedig. 'Mae Ems wedi bod yng Nghwm Cadno. Dwedodd hi 'i fod o'n wych.'

Chwaer fawr Sara yw Ems.

'Maen nhw'n cynnau tân mawr,' meddai, 'ac mae pawb yn canu o'i gwmpas. Ac weithiau maen nhw'n coginio bwyd ar y tân.'

Sôn am lanast! Dyw'r Clwb Cysgu Cŵl yn dda i ddim am goginio, ond fe fydden ni'n siŵr o gael hwyl.

'Beth arall fyddwn ni'n wneud?' gofynnodd Ffi. 'Allwn ni ddim eistedd wrth y tân drwy'r dydd.'

'Mae 'na lwybrau natur a phethau fel 'na,' meddai Sam. 'Ac ar y noson ola mae 'na gyngerdd ac mae pawb yn perfformio.'

Syllodd pawb arni'n gegagored.

13

'Oes rhaid i chi edrych arna i fel 'na?' meddai'n swta. 'Dwi wedi bod yn holi Bethan Bwystfil. Mae hi'n eitha handi ambell waith. Aeth hi i Gwm Cadno pan oedd hi ym Mlwyddyn 7.'

Gwyrth! Allen ni ddim credu fod Sam wedi llwyddo i siarad â'i chwaer Bethan heb gychwyn rhyfel byd. Dydyn nhw ddim yn cytuno – wir! – cyn wired â bod Mega yn hyncs!

'Dyw e ddim yn lle mawr a pheryglus 'te?' meddai Ffi. Roedd hi'n edrych yn hapusach o lawer erbyn hyn.

'Dim o gwbl!' meddai Ali gan chwerthin. 'Fyddai Nia'r Urdd byth yn mynd â ni i rywle peryglus. A betia i ti mai ti fydd seren y cyngerdd.'

Gwenodd Ffi o glust i glust. 'Mae'n swnio'n eitha cŵl,' meddai. 'Ro'n i'n meddwl y byddai'n rhaid i ni fynd ar gwrs antur ac mae pethau felly'n codi llond bola o ofn arna i. Cropian o dan rwydi a thrwy'r mwd – ych a fi!' Crynodd Ffi drwyddi. ''Na syniad dwl! Fydd 'na ddim un, dwi'n siŵr. Ond os oes 'na un, dwi ddim yn mynd yn agos i'r gwersyll.'

Edrychodd pawb ar ei gilydd.

'Be sy'n bod arnoch chi?' meddai Ffi.

'Dim,' meddai Sara ac Ali'n frysiog.

'Cwrs antur!' meddai Sam gan chwerthin yn ddwl. 'Dim gobaith!'

'Hic!' gwichiais. Dwi wastad yn dechrau igian pan mae pethau'n mynd yn lletchwith.

'Hei, Ffi, alli di fynd lawr i'r gegin i nôl gwydraid o ddŵr i Mel?' gofynnodd Ali. Dechreuodd wasgu fy llaw â'i dau fys bawd – tric sy fel arfer yn cael gwared o'r ig.

Cyn gynted ag y cyrhaeddodd Ffi waelod y staer, fe ddechreuodd pawb siarad ar draws ei gilydd.

'Ond *mae* 'na gwrs antur yng Nghwm Cadno, on'd oes?' meddai Ali.

'Oes, ac yn ôl Ems mae o'n un ffantastig,' meddai Sara.

'Ac *mae* 'na gystadleuaeth Cwpan Antur ar ddiwrnod ola'r gwersyll, on'd oes?' meddai Ali eto.

'Ti'n iawn,' meddai Sam. 'Soniodd y bwsytfil amdano. Mae timau'n cystadlu yn erbyn ei gilydd ac mae cwpan i'r tîm sy'n ennill. Daeth tîm Bethan yn ail, felly rhaid i ni ddod yn gyntaf.'

15

'Ond . . . hic . . . bydd Ffi'n pallu dod . . . hic . . . os clywith hi . . . hic . . . am y cwrs,' dwedais gan igian yn waeth fyth.

'Wel, rhaid i ni beidio â dweud wrthi. Iawn?' penderfynodd Sam.

'Peidio â dweud beth wrth bwy?' meddai Ffi gan ruthro i mewn gyda gwydraid o ddŵr. Cymerais i'r gwydr a dechrau yfed.

'Peidio â dweud . . . mmmm . . . wrth Nia bod Sam yn chwyrnu,' meddai Ali'n gyflym.

Pan ddwedodd hi hynna, cymerais i ddracht fawr o ddŵr a dechrau tagu. Wedyn dechreuodd Sam daro fy nghefn – yn galed.

'Na, achos roedd un o'r merched aeth i'r gwersyll gyda Bethan yn chwyrnu,' meddai Sam wrth Ffi, 'ac roedd yn rhaid iddyn nhw godi eu pabell yng nghanol y coed, yn bell o'r gwersyll.'

Roedd llygaid Ffi mor fawr â soseri. 'Wir?' meddai'n ofnus. 'Allwn i ddim diodde hynny. Wnewch chi ddim dweud wrth Nia am Sam, wnewch chi?'

'Na wnawn wrth gwrs!' meddai Ali'n garedig.

16

'Mmm . . . Sam, paid â 'mwrw i,' gwichiais. 'Dwi ddim yn tagu nawr. Ac mae'r ig wedi mynd!'

Dyna'r tro diwetha i ni siarad am y gwersyll tan y cyfarfod nesa o'r Adran. Os byddai pawb yn cadw'n dawel, gyda lwc fyddai Ffi ddim yn clywed am gwrs antur Cwm Cadno. Roedd hi'n benderfynol o beidio â dod, os oedd 'na gwrs antur, a byddai'n ddiflas mynd hebddi. Fel arfer mae'r Clwb Cysgu Cŵl yn gwneud popeth gyda'i gilydd, a byddai'n od iawn cael cyfarfod gydag un person ar goll. Roedd hi'n mynd i fod yn anodd iawn cadw'r gyfrinach, ond petai Ffi'n clywed am y cwrs antur, dyna'i diwedd hi!

PENNOD DAU

Yr wythnos ganlynol roedden ni i gyd yn disgwyl am Ffi y tu allan i'r Aelwyd.

Pan ddaeth hi i'r golwg, sibrydodd Sam, 'Cofiwch, dim gair am y cwrs antur!'

Cerddodd Ffi tuag aton ni. Doedd hi ddim mewn tymer dda. 'Bydd Nia'n siŵr o ddechrau siarad am yr hen wersyll twp 'na,' meddai'n grac.

'Dwyt ti ddim yn mynd i ddweud "helô" wrthon ni 'te?' meddai Sam yn llon.

'Oes rhaid i ti edrych mor hapus?' chwarddodd Ali. 'Does neb yn disgwyl i ti fwynhau dy hun yn y gwersyll, cofia.'

'Dwi ddim yn siŵr a fydda i'n dod,' meddai Ffi.

'Be?' sgrechiodd pawb.

'Ond mi ddwedaist ti dy fod ti'n dod, y tro ola y sonion ni amdano fo,' meddai Sara'n ddiamynedd.

'Dwi'n gwbod, ond yn gynta dwi am wneud yn siŵr nad oes 'na 'run cwrs antur yno,' meddai Ffi. 'Alla i ddim gofyn i Anti Mai achos mae Mam yn dweud ei bod hi wedi mynd i ffwrdd ar gwrs gyda'i gwaith. Fydd hi ddim yn dod i helpu yn yr Adran am sbel.'

'Dyna drueni!' meddai Sam mewn llais bach diniwed.

Os na châi Ffi gyfle i ofyn i Anti Mai, gyda lwc wnâi hi ddim clywed am y cwrs antur nes i ni gyrraedd y gwersyll. Erbyn hynny byddai'n rhy hwyr!

'Dwi ddim yn deall pam wyt ti'n poeni ta beth,' dwedais. 'Hyd yn oed os oes 'na gwrs antur . . . AW!' Yn sydyn cwympais ar y llawr.

'Wps! Mae'n ddrwg gen i am dy faglu di, Mel,' meddai Sam. Helpodd hi fi i godi a sibrydodd yn fy nghlust, 'Dwedais i wrthot ti am beidio â sôn am y cwrs antur.'

'Do, ond . . .' snwffiais.

'Wel, Meleri fach. Fe gest ti godwm cas.

19

Wyt ti'n iawn?' gofynnodd Nia wrth ein hebrwng ni i mewn i'r Aelwyd.

Nodiais gan edrych yn gas ar Sam.

Ar ddechrau'r cyfarfod mae Nia wastad yn dweud wrthon ni beth sy ar y rhaglen. Pan soniodd hi am y gwersyll a'r llythyron i'n rhieni, daliodd pawb eu hanadl. Roedden ni'n disgwyl i Ffi holi am y cwrs antur. Ond roedd Nia ar frys. Roedd ganddi gymaint o bethau i'w dweud, chafodd Ffi ddim cyfle.

Roedden ni'n gwneud gwaith llaw y noson honno ac roedd pawb yn gwneud pethau gwahanol, felly chawson ni ddim cyfle i ddod at ein gilydd nes oedd Nia'n dosbarthu'r llythyron.

'Cofiwch – rhaid i fi gael caniatâd eich rhieni a'r arian erbyn wythnos nesa,' meddai.

Wrth gwrs roedd yn rhaid i Emma Davies ac Emily Mason fod yn geffylau blaen. Fe fynnon nhw gael eu crafangau ar y llythyron cyn pawb arall.

'Pathetig!' hisiodd Sam.

'Cawn ni weld pwy sy'n pathetig pan enillwn ni'r cwpan ar ddiwedd y gwersyll,' meddai Emma Davies yn wawdlyd.

'Chi? Dim gobaith caneri!' atebodd Sam.

Cododd yr M&Ms eu trwynau a cherdded i ffwrdd.

Ffi a fi oedd yr ola'n y ciw.

'Pa gwpan?' gofynnodd Ffi mewn llais bach gwichlyd.

'Mmmm, dwi ddim yn siŵr,' dwedais yn gyflym. 'Cwpan am ganu'r caneuon gorau wrth y tân falle.'

'O grêt,' meddai Ffi. 'Dwi'n hoffi canu. Ni fydd yn ennill, betia i ti.'

'Pwy ddwedodd wrthot ti, Babi Mam?' chwyrnodd Emma Davies a oedd newydd ddod i'r golwg. 'Gwell i ti ddechrau ymarfer. Does gyda rhyw lipryn fel ti ddim gobaith ein curo ni ar y . . .'

'Dyma'ch llythyron chi,' meddai Ali'n uchel gan wthio copi o'r llythyr i'n dwylo ni. Wedyn fe safodd rhyngddon ni a'r M&Ms.

'Iesgob, Ffi, edrych faint o'r gloch yw hi!' meddai Sara a oedd newydd ymuno â ni. 'Mi fydd dy fam yn methu dallt ble wyt ti.'

'Rhed adre at mami, cyw bach,' meddai'r Ddwy Ddraenen mewn lleisiau bach dwl.

Aeth wyneb Ffi mor goch â thomato.

'Gwell i chi fynd hefyd,' gwaeddodd Sam. 'Mae'r gwynt yn dechrau codi. Dydyn ni ddim eisiau i chi gael eich chwythu oddi ar eich coesau brws!'

Chwarddon ni dros y lle a rhedeg fraich ym mraich allan o'r neuadd ac i lawr y llwybr.

Roedd mam Ffi a Dad yn aros y tu allan. Aeth Sara gyda Ffi ac fe ddaeth Ali a Sam gyda fi. Codon ni law ar y lleill, ac yna fe neidion ni i mewn i fan Dad a dyma Ali'n esgus llewygu.

'Whiw! Cael a chael oedd hi!' meddai gan sychu'r chwys oddi ar ei thalcen yn ddramatig.

'Dwi'n gwbod!' gwichiais. 'Pan ddechreu-aist ti a'r M&Ms gega, allwn i ddim credu, Sam! Ro'n i'n siŵr y byddai Ffi'n clywed am y cwrs!'

'Wedyn pan ddechreuodd yr M&Ms sôn am y cwpan,' meddai Sam, gan giglan dros y lle. 'Ac roedd Ffi'n meddwl mai cwpan canu oedd e.'

Allen ni ddim stopio chwerthin.

'Tybed a fydd hi'n clywed am y cwrs antur cyn i ni fynd i'r gwersyll?' gofynnais ar ôl i ni i gyd dawelu o'r diwedd.

'Na fydd, gobeithio,' meddai Ali.

'Byddwn ni'n gorfod llanw'r ffurflenni erbyn wythnos nesaf. Ac ar ôl i Ffi dalu, all hi ddim tynnu'n ôl, all hi?' meddai Sam.

'Ond bydd rhaid i ni osgoi'r M&Ms,' meddai Ali. 'Maen nhw'n siŵr o sôn am y cwrs antur ac fe fydd hi ar ben arnon ni, os clywith Ffi!'

Ar ôl i ni fynd ag Ali a Sam adre, dechreuais fynd i banic. Allen ni ddim osgoi'r M&Ms am ein bod ni yn yr un dosbarth yn yr ysgol – ac roedd 'na wythnos arall cyn diwedd y tymor. Yr unig ffordd i gadw Ffi a'r M&Ms ar wahân oedd drwy gipio Ffi a'i chloi mewn cwpwrdd am wythnos. Syniad da, ond braidd yn amhosib! Byddai'n rhaid i ni fod yn wyliadwrus ac yn ofalus iawn.

Am wythnos gron, bob tro oedden ni'n gweld Emma Davies neu Emily Mason, roedden ni'n llusgo Ffi o'u ffordd, neu roedden ni'n siarad yn uchel iawn iawn er mwyn boddi eu lleisiau petaen nhw'n digwydd dweud rhywbeth.

Ar ddiwrnod ola'r tymor roedden ni i gyd braidd yn wyllt. Roedden ni allan ar y buarth bron drwy'r dydd. Roedden ni'n rhy gynhyrfus i weithio ac roedd Mrs Roberts, ein hathrawes, yn deall yn iawn. Doedd yr M&Ms yn gwneud dim ond neidio dros bethau – dros fainc, dros y bin, dros Rhidian Scott.

'Druan â chi!' meddai Sam yn uchel wrth fynd heibio.

'Aros di i ni gael eich curo chi yn y . . .' meddai Emma Davies – ac roedd pawb yn gwybod yn union beth oedd hi'n mynd i ddweud nesa.

'Hei, Ffi, edrych!' meddai Sara gan lusgo Ffi i ffwrdd.

'Cadwyni llygad y dydd!' sgrechiodd Ali'n rhy ddramatig o lawer. 'Dewch i ni wneud cadwyni gyda'r plant bach.'

'Ie!' dwedais mor gyffrous ag y gallwn i. 'Dewch!'

Ar ôl y sioc yna, roedd yn rhaid i ni gadw o ffordd yr M&Ms am weddill y prynhawn. Roedden ni i gyd mor falch pan ganodd y gloch o'r diwedd. Roedden ni'n hapusach fyth pan ddaeth Ffi i'r Aelwyd gyda'i ffurflen a'i harian. Allai hi ddim tynnu'n ôl nawr, cwrs antur neu beidio!

Ar ôl rhoi'r ffurflenni i Nia, dim ond pythefnos

oedd ar ôl tan i ni fynd i'r gwersyll. Roedden ni mor gyffrous! Allen ni ddim stopio siarad.

'Alla i ddim aros!' meddai Sam gan wenu'n llydan.

Roedden ni'n eistedd yn ei stafell hi ddiwrnod neu ddau cyn mynd i'r gwersyll. 'Bydd cymaint o bethau cŵl yno, 'run fath ag yn Llangrannog! Dwi bron â marw eisiau dysgu sut i abseilio.'

'Fe fyddi di bron â marw hefyd,' meddai Ali gan chwerthin. 'Byddi di'n siŵr o fynd yn rhy gyflym a tharo'n erbyn y wal – sblat!'

Crynodd Ffi.

'Dim ond jôc, Ffi!' dwedais i'w chysuro. 'Does dim perygl. Fe gawn ni lot fawr o hwyl a bydd e'n benwythnos ffantastig.'

'Ydych chi'n meddwl y dylen ni ddechrau ymarfer ar gyfer y Cwpan?' gofynnodd Ffi.

Syllodd pawb arni'n gegagored.

'Be? Wyt ti wedi clywad am y Cwpan?' gofynnodd Sara.

'Ydw,' meddai Ffi'n ara bach, fel petaen ni i gyd yn dwp. 'A dwi'n meddwl y dylen ni ymarfer os ydyn ni am guro'r M&Ms.'

'Cŵl!' gwaeddodd Sam. 'Falle dylen ni

fynd mas nawr i ddringo coed neu rywbeth. Neu i wneud *press-ups*. Mae'r rheiny'n dda.'

Dechreuais ysgwyd fy mhen ar Sam, achos roedd Ffi'n edrych yn syn arni.

'Ond sut bydd dringo coed yn ein helpu ni i ganu'r caneuon gorau?' gofynnodd.

Edrychodd Sam yn hollol dwp. Am unwaith doedd ganddi ddim i'w ddweud.

Daeth Ali i'r adwy! 'Mae dringo coed yn eich helpu chi i anadlu'n dda,' meddai. 'Mae'n bwysig gwneud ymarfer corff cyn canu.'

Rholiais i a Sara ein llygaid ar ein gilydd. Ro'n i bron â marw eisiau chwerthin.

O'r diwedd roedden ni ar y bws mini ar ein ffordd i Gwm Cadno. Diolch byth! Wrth gwrs fedren ni ddim twyllo Ffi am hir, ond roedden ni'n siŵr y byddai popeth yn iawn yn y diwedd. Ta beth, doedd gyda ni ddim amser i boeni. Roedden ni'n rhy brysur yn teimlo'n ddig tuag at yr M&Ms.

Roedden ni i gyd yn aros mewn rhes am y bws mini, pan wthion nhw heibio a bachu'r seddi canol. Eisteddodd Alana Banana gyferbyn â nhw, felly allen ni ddim eistedd gyda'n gilydd. Eisteddodd Ali a Sam o flaen y Ddwy Ddraenen, eisteddodd Sara a Ffi y tu ôl iddyn nhw ac eisteddais i o flaen Alana Banana gyda Nia'r Urdd ei hun! Felly fe gawson ni siwrnai wych i Gwm Gadno – jôc! A bai yr M&Ms sbeitlyd oedd y cyfan. Fe benderfynon ni dalu'n ôl iddyn nhw yn y gwersyll.

'Dyma ni, ferched!' galwodd Nia, wrth i ni adael yr hewl fawr a dilyn lôn fach igam-ogam. Gwasgon ni'n trwynau ar y ffenestri er mwyn i ni gael gweld ein cartref newydd.

'Waw! On'd yw e'n cŵl!' gwaeddodd Sam. 'Beth yw hwnna draw fan'na?' Pwyntiodd at rywbeth yn y pellter.

'Dyna'r tŵr abseilio a'r wal ddringo,' meddai Nia.

Stopiodd y bws mini.

'Nawr codwch ac ewch allan yn dawel ac yn drefnus,' meddai Nia. 'A chofiwch gasglu eich bagiau.'

Fe ruthron ni allan fel teirw, ar wahân i Ffi. Mae'n rhaid bod Ffi wedi edrych o dan y sedd ddegau o weithiau rhag ofn ei bod wedi gadael rhywbeth ar ôl.

Roedden ni i gyd wedi cynhyrfu'n lân.

Roedden ni'n chwerthin ac yn cael hwyl wrth edrych o'n cwmpas. Roedd e'n ffantastig. Ond roedden ni hefyd yn sylweddoli bod yr amser wedi dod i wynebu Ffi.

'Pam ydych chi'n edrych mor od?' gofynnodd Ffi pan ddaeth hi allan o'r bws o'r diwedd.

Gyda'n gilydd fe bwyntion ni at yr arwydd o'n blaenau. Arno mewn llythrennau breision roedd y geiriau: CWRS ANTUR FFORDD HYN.

PENNOD TRI

Druan â Ffi! Welais i neb erioed yn mynd mor wyn mor gyflym. Roedd fel petai rhywun wedi sugno'r gwaed o'i hwyneb drwy welltyn.

'Wyt ti'n iawn, Ffion?' gofynnodd Nia'n ofidus.

Dim ond mwmian wnaeth Ffi a phwyntio at yr arwydd.

'Mae cwrs antur yn swnio braidd yn beryglus, on'd yw e?' meddai Nia gyda gwên. 'Ond paid â phoeni. Fydd e ddim yn gwrs antur am hir. Fe wna i egluro ar ôl i ferched Castell-nedd gyrraedd.'

Roedd bws mini arall yn gyrru tuag aton ni. Pan stopiodd y bws, daeth twr o ferched allan.

Roedden ni wedi cwrdd â rhai ohonyn nhw yn Llangrannog ac fe adnabyddon ni Seren Morris ac Amanda Porter. Aeth rheiny'n syth at yr M&Ms ac Alana Banana a thaflu ei breichiau amdanyn nhw gan glebran a sgrechian fel mwncïod mewn sw.

Ar ôl iddyn nhw dawelu, eglurodd Nia am y cwrs antur. 'Rhaglenni plant yw thema ein gwersyll ni,' meddai. 'Felly mae enw newydd gan bopeth. Rownd a Rownd yw enw'r cwrs antur. Enw'r gegin yw Caffi Sali Mali ac enw'r caban toiledau a'r caban 'molchi yw Tŷ Ni a Tŷ Chi!'

Roedd ugain o ferched i gyd, un ar ddeg ohonon ni a naw o Gastell-nedd. Felly roedd 'na bedair pabell gyda phump merch ym mhob un, a phabell arall i'r oedolion. Roedd y Clwb Cysgu Cŵl yn rhannu pabell a doedd dim rhaid i ni rannu â neb arall, felly roedd hynny'n wych. Roedd yr M&Ms yn rhannu gydag Alana Palmer a Seren Morris ac Amanda Porter iychi-pychi. Yna roedd pabell yn llawn o ferched o Gastell-nedd a phabell arall gymysg, ond roedd pawb yn y babell honno'n 'nabod ei gilydd, felly roedd popeth yn iawn.

Roedd gan Nia enw i bob grŵp. Marinogion oedden ni, Teletybis oedd yr M&Ms a'u grŵp, Uned 5 oedd y merched o Gastell-nedd a Planed Plant oedd y grŵp cymysg. Cŵ-ŵl! Fe chwarddon ni dros y lle pan ddwedodd Nia mai ei henw newydd hi oedd Jac Do ac enw Mrs Williams o Gastell-nedd oedd Sali Mali!

Daeth grŵp o geidwaid y goedwig i'n helpu i godi'r pebyll. Dwedodd Sali Mali y byddai tair ohonyn nhw'n aros gyda ni a'u henwau oedd Wcw, Bwgan a Tecwyn y Tractor!

Sut ydw i'n mynd i gofio'r holl enwau, meddyliais.

'Dwi'n mwynhau. Wyt ti?' dwedais wrth Sara wrth i ni gario'n bagiau at y pebyll.

'Ydw, ond dydw i ddim yn meddwl bod Ffi'n hapus iawn,' meddai. Edrychais ar Ffi. Roedd hi'n edrych yn bwdlyd ac yn ddiflas.

'Nawr 'te, Marinogion. Dyma'ch pabell chi,' meddai Nia. 'A dyma Wcw a'r criw. Ewch i'w helpu i godi'r babell, ond cofiwch wrando'n astud.'

Roedd y tair ceidwad yn hwyl – ac yn cŵl. Dwi'n meddwl eu bod nhw'n eitha balch ohonon ni, achos dw i a Sam yn gyfarwydd â chodi pebyll. Rydyn ni wedi bod yn gwersylla sawl gwaith gyda'n teuluoedd, ti'n gweld. Helpon ni i dynhau'r rhaffau a phopeth, tra oedd Ali a Sara'n ceisio tawelu Ffi. Allwn i ddim deall pam oedd cymaint o ofn cwrs antur ar Ffi – yn enwedig un o'r enw Rownd a Rownd. Ond 'na fe, mae Ffi'n ddirgelwch i fi yn aml iawn.

Ar ôl codi'r babell, fe garion ni'n bagiau i mewn. Roedd y babell ei hunan 'run siâp â chloch gydag un polyn mawr yn y canol. Fe drefnon ni'n sachau cysgu fel breichiau olwyn o'i gwmpas. Roedden ni'n mynd i gysgu gyda'n pennau yn ymyl y polyn a'n traed wrth ochrau'r babell. Roedd e'n od, ond yn gyffrous hefyd.

Dwi'n eitha hoff o gysgu mewn pabell achos mae pawb yn glos at ei gilydd ac yn gysurus. Ond doedd Ffi ddim yn hapus o gwbl. Roedd hi'n achwyn drwy'r amser, 'Does dim lle!'

'O, Ffi, ca' dy ben, wnei di!' meddai Sam yn swta. 'Pabell yw hon. Beth wyt ti'n ddisgwyl? Gwesty moethus?'

Dechreuodd gwefus Ffi grynu. Os oedd hi'n mynd i lefain, 'na'i diwedd hi!

'Dere, Ffi, fe ddoi di'n gyfarwydd â'r lle,' dwedais, i godi ei chalon. 'Ni yw'r Marinogion, cofia.'

'A'r M&Ms yw'r Teletybis,' meddai Ali gan chwerthin. 'Tybed p'un yw p'un?'

'Mae Amanda Porter yn edrych yn debyg iawn i Teletybi!' meddai Sam a dyma hi'n dynwared Amanda'n cerdded. Roedd pawb yn sgrechian chwerthin – hyd yn oed Ffi!

Daeth pen Nia i'r golwg. 'Pawb yn hapus?' meddai. 'Da iawn. Dwi'n siŵr eich bod chi i gyd bron â marw eisiau dechrau ar y gweithgareddau. Felly, ewch am dro bach i Tŷ Ni. Wedyn fe gwrdda i â chi wrth y Rownd a Rownd ymhen pum munud.'

'Grêt!' gwaeddodd Sam.

Rhuthrodd hi allan o'r babell, ond symudodd neb arall. Roedd Ffi wedi dechrau troi'n jeli eto.

'Fydd dim rhaid i ti fynd ar y cwrs antur, os nad wyt ti eisiau, dwi'n siŵr,' dwedais.

'Fedra i ddim gwneud pethau fel 'na chwaith,' meddai Sara i godi ei chalon. 'Ty'd ar y cwrs efo fi. Os ydy o'n gas, fe wnawn ni stopio ar ei hanner.'

Edrychai Ffi ychydig yn hapusach.

'Fe arhosa i gyda chi hefyd,' dwedais. Dwi'n eitha hoff o gyrsiau antur, ond ro'n i'n teimlo trueni dros Ffi, ac os oedd Sara eisiau gorffen y cwrs, gallwn i edrych ar ôl Ffi.

'Dewch mla'n. Be sy'n bod arnoch chi?' gwaeddodd Sam. Rhedodd yn ôl i'r babell â'i gwynt yn ei dwrn. Roedd hi bron â marw eisiau mynd ar y cwrs antur.

'Gwell i fi fynd gyda Sarjant Sam,' meddai Ali. 'Mae'n rhaid i un ohonon ni gadw llygad arni!' Ac fe redodd ar ôl Sam.

Dilynodd pawb arall gan bwyll. Aethon ni i Tŷ Ni, ac ar ôl i Ffi wastraffu cymaint o amser ag y gallai aethon ni draw at y cwrs antur.

Doedd gen i ddim syniad beth i'w ddisgwyl, wir i ti. Ro'n i wedi dychmygu rhwydi dringo tua chwe metr o uchder a llond lle o fwd. Ond doedd y cwrs ddim byd tebyg. Roedd e'n bert – roedd llwyni mawr ar bob ochr ac roedd e'n troi mewn hanner-cylch. Roeddet ti'n gallu gweld y dechrau a'r diwedd, ond nid y canol. Roedd e'n edrych yn enfawr achos, yn lle un rhwystr, roedd dau rwystr ochr yn ochr. Roedden nhw'n disgwyl i ddau dîm gystadlu yn erbyn ei gilydd, meddyliais. Ac yna fe gofiais am y Cwpan Antur ar y diwrnod ola.

'O'r diwedd!' meddai Nia pan welodd hi ni. 'Ro'n i'n meddwl bod Tŷ Ni wedi'ch llyncu chi!'

Rhedodd dwy o ferched Castell-nedd heibio. Roedden nhw'n chwerthin ac wrth eu boddau. Allwn i ddim aros.

'Mae Ffi'n poeni braidd am y cwrs antur . . . am Rownd a Rownd, dwi'n meddwl,' meddai Sara.

Edrychodd Ffi'n grac iawn arni.

'Does dim rhaid i ti boeni o gwbl,' meddai Nia'n galonnog. 'Bydda i a Sali Mali yma i helpu ac mae Rala a'r criw ar y cwrs hefyd. Cymer dy amser a mwynha dy hun.'

'Ty'd, Ffi,' meddai Sara gan wenu. 'Waeth i ni roi cynnig arni.'

'Gadewch i fi fynd gynta, a dilynwch fi,' awgrymais.

Nodiodd Ffi, felly i ffwrdd â fi. Yn gynta roedd yn rhaid neidio dros glwyd, wedyn roedd ffos gyda boncyff coeden yn gorwedd drosti. Roedd y merched o 'mlaen i yn cerdded yn ara bach fel petaen nhw ar raff syrcas. Doedden nhw ddim eisiau cwympo i ganol y mwd. Gwnes innau 'run fath. Roedd e'n hwyl. Gallwn i glywed Sam ac Ali o 'mlaen i, ond allwn i mo'u gweld. Edrychais dros fy ysgwydd. 'Ydych chi'n iawn?' gwaeddais.

Cododd Sara ei bawd – a chwarddodd Ffi hyd yn oed!

'Ti'n gweld,' gwaeddais. 'Doedd dim rhaid i ti boeni, oedd e?'

Ar ôl i fi wneud yn siŵr bod y lleill yn iawn, dechreuais fwynhau fy hun. Ro'n i wedi gweld pobl ar y teledu yn rhedeg drwy ddwy res o deiars, ond roedd e'n dipyn anoddach nag oeddwn i'n ddisgwyl. Ond y peth anodda i gyd oedd dringo i ben y rhwydi a dringo i lawr yr ochr arall. Roedden nhw'n ysgwyd cymaint, fe gymerodd amser i fi ddod i arfer â nhw, ond roedd e'n gyffrous iawn.

O ben y rhwydi ro'n i'n gallu gweld y cwrs i gyd. Roedd Emily Mason yn gorwedd yn ymyl y twnnel tanddaearol. Roedd hi'n edrych yn swp sâl. Roedd Amanda Porter yn sownd ar y siglen deiar a Sam yn swingio ar y rhaff fel Tarsan. Dringais i i lawr y rhwyd cyn gynted ag y gallwn i. Ro'n i eisiau rhoi cynnig ar bopeth!

Ro'n i bron â chyrraedd y twnnel tanddaearol pan glywais i sŵn sgrechian. Wnes i ddim sylweddoli beth oedd e ar unwaith. Ffi oedd yn cadw sŵn. Rhedais yn ôl a dyna lle'r oedd hi'n sownd ar ben y rhwydi dringo.

'Alla i ddim symud!' llefodd. 'Mae arna i ormod o ofn!'

Ar yr ochr arall roedd Sara'n ceisio'i pherswadio i ddod i lawr. Dringais at Ffi a gwnes fy ngorau i'w chysuro.

'Rwyt ti wedi gwneud y darn gwaetha,' dwedais. 'Nawr estyn draw fan hyn a thynna dy hun dros y rhwyd.'

'Digon hawdd i ti siarad!' gwichiodd Ffi.

Dringais lan a dangos iddi beth i'w wneud, ond doedd dim iws. Gwrthododd hi symud. Pan oedd hi wedi bod yno am oesoedd, dwedais, ''Co Tecwyn y Tractor draw fan'na yn siarad â'r M&Ms. Wyt ti am i fi alw arni?'

Pan ddwedais i hynny, taflodd Ffi ei hunan dros y rhwyd a llithro i lawr yr ochr arall. Dilynais i a Sara ar ras. Roedd Ffi'n gorwedd yn llipa ar y gwaelod.

'Dwedes i 'mod i'n casáu cwrs antur!' llefodd.

'Paid â phoeni. Does dim rhaid i ti fynd arno eto,' dwedais.

Fi a 'ngheg fawr!

Pan oedd Ffi'n teimlo'n well, fe gerddon ni i ddiwedd y cwrs, lle'r oedd pawb arall yn aros.

'Wedi cael problem fach?' meddai Emma Davies yn slei.

Cochodd Ffi.

'A phwy arall sy wedi cael problem fach?' meddai Sam yn swta, gan lygadu Emily Mason ac Amanda Porter. Dechreuon nhw edrych yn lletchwith wedyn.

'Ond ni fydd yn ennill y Cwpan Antur ac nid twpsod fel chi!' meddai Emma Davies yn grac.

'Cwpan Antur?' gwichiodd Ffi. Roedd hi wedi deall o'r diwedd. 'Cwpan Antur yw e ac nid Cwpan Canu?'

Chymerodd Sam ddim sylw, dim ond syllu i wynebau'r M&Ms. 'Does gyda chi ddim gobaith ein curo ni!' meddai'n ffyrnig. 'Credwch chi fi!'

Edrychodd pawb arall ar ei gilydd. Pan mae Sam yn cael chwilen yn ei phen, rydyn ni i gyd yn dioddef. Ond ar y pryd doedden ni ddim yn sylweddoli pa mor benderfynol oedd hi o guro'r M&Ms.

PENNOD PEDWAR

Ar ôl i ni gwblhau'r cwrs antur, aeth Nia â ni i weld y gweithgareddau eraill yng Nghwm Cadno. Roedd Sam yn dal i deimlo'n ddig tuag at yr M&Ms. Allai hi ddim anghofio. Hyd yn oed pan aethon ni draw i weld y wal ddringo a'r tŵr abseilio, roedd hi'n dal i edrych yn sarrug.

'Be sy'n bod arni?' sibrydais wrth Ali. Ond dim ond codi ei hysgwyddau wnaeth Ali.

A doedd Ffi ddim llawer o hwyl chwaith. Roedd hi'n dal i boeni am y cwrs antur. Cwpan neu beidio, doedd hi ddim yn mynd arno byth eto, meddai hi. Wrth gwrs gwylltiodd Sam yn waeth byth pan glywodd hi hynny.

Ac ar ben hynny roedd Emma Davies a'i

ffrindiau dwl yn sibrwd wrth ei gilydd, yn edrych arnon ni ac yn giglan.

'Maen nhw'n mynd ar fy nerfau i,' meddai Sara.

'Snap!' dwedais.

Roedden ni i gyd ar bigau'r drain achos roedden ni'n disgwyl i Sam roi llond pen iddyn nhw. Ond drwy lwc wnaeth hi ddim – dim ond edrych yn ffyrnig.

Roedden ni'n cerdded yn ôl at ein pebyll, pan welodd Sara rywbeth. Gofynnodd i Nia beth oedd e.

'Pwll dŵr,' meddai Nia. 'Mae 'na frogaod a phethau felly ynddo fe. Fe fyddwn ni'n astudio bywyd y pwll dŵr yn nes ymlaen.'

'Fydd y brogaod ddim yn cropian i mewn i'n pabell ni, fyddan nhw?' gofynnodd Ffi'n ofidus.

'Na, Ffion. Wnân nhw ddim hopian yr holl ffordd i dy babell di,' meddai Nia gan wenu. 'A fyddwn ni ddim yn bwyta coesau brogaod i swper chwaith. Byddwn ni'n cael pasta i swper a bydd y Teletybis yng ngofal y gegin; bydd Uned 5 yn gweini wrth y byrddau, a Planed Plant yn glanhau. Fe gewch chi'r

Marinogion gasglu sbwriel – bydd hynny'n eich siwtio i'r dim, dwi'n siŵr.'

Chwarddodd pawb.

'Felly, Emma,' meddai Nia, 'pan awn ni'n ôl i'r pebyll, fe gaiff dy grŵp di baratoi i fynd draw i'r gegin. Fe gaiff y gweddill ohonoch chi chwarae gêmau gyda Sali Mali, Bwgan a'r criw nes bydd swper yn barod.'

Roedd Sam yn dawel iawn ar y ffordd yn ôl, ond unwaith y cyrhaeddon ni'r babell, dechreuodd neidio o gwmpas.

'Mae'r hen Sam wedi dod yn ôl aton ni!' chwarddodd Ali.

'Mae gen i syniad! Mae e'n wych. Fe setlwn ni'r M&Ms unwaith ac am byth!' meddai.

'Dwed wrthon ni 'te!' gwaeddais.

'Na! Dwi ddim yn mynd i ddweud gair ond fyddwch chi ddim yn hir cyn clywed,' meddai gan wenu o glust i glust. 'Ond os bydda i'n diflannu, peidiwch â gadael i neb wybod ble ydw i.'

'Grêt!' meddai Ffi. 'Rwyt ti'n pallu dweud wrthon ni, ond rwyt ti'n disgwyl i ni dy helpu di. Dyw hynna ddim yn deg iawn!'

Rholiodd pawb arall eu llygaid. Mae'n bwysig iawn i Ffi bod popeth yn 'deg'.

'Gwnewch fel dwi'n dweud wrthoch chi! Iawn?' gorchmynnodd Sam, a does dim iws dadlau â hi pan mae hi'n siarad fel'na.

Roedden ni wedi dod â digon o fwyd i wneud tair gwledd ganol nos. Roedd Sam wedi dod â'i bwyd hi mewn bocs hufen iâ. Tynnodd hi'r bocs allan o'i bag a'i wagio ar ei sach gysgu. Disgynnodd Mini Mars, lolipops, *jelly babies* a *Black Jacks* blith draplith. Ysgubodd hi'r cyfan i mewn i'w bag, yna allan â hi â'r bocs gwag yn ei llaw.

'Beth ar y ddaear mae hi'n mynd i'w wneud?' meddai Ali gan syllu'n syn.

'Rwyt ti'n gwybod sut un yw hi,' meddai Ffi. 'Falle dylen ni fynd ar ei hôl rhag ofn iddi wneud rhywbeth dwl.'

'Ond os gwelith hi ni, bydd hi'n siŵr o'n lladd ni,' meddai Sara.

'Mae hi wedi dweud wrthon ni am gadw'i chyfrinach hi a dyna beth wnawn ni,' dwedais. 'Dwi'n gallu clywed sŵn tu fas. Dewch. Mas â ni i chwarae.'

Rhedon ni allan at Uned 5, Planed Plant,

Bwgan a'r criw. Fe gawson ni amser cŵl yn chwarae Plismyn a Lladron. Pan ofynnodd rhywun ble oedd Sam, fe ddwedon ni bod gyda hi boen yn ei stumog a'i bod yn gorwedd i lawr. Ond wedyn wrth gwrs fe ddwedodd Sali Mali ei bod hi'n mynd i roi tro amdani, felly roedd yn rhaid i fi feddwl yn gyflym iawn.

Yn anffodus, yr unig beth allwn i wneud oedd cwympo ar y llawr a chael codwm cas ar fy mhen-glin. Roedd e'n boenus iawn – gobeithio y byddai Sam yn diolch i fi. Ond o leia fe gedwais i Sali Mali'n brysur a chafodd hi ddim amser i edrych am Sam.

Pan waeddodd Jac Do, 'Swper!' dechreuodd Ffi gael ffit. 'Beth os byddan nhw'n mynd i chwilio am Sam ac yn methu cael gafael arni?' meddai.

Ond yr eiliad honno, yn union fel petai hi wedi darllen ein meddyliau, daeth Sam i'r golwg. Cerddodd allan o'r babell gyda gwên enfawr ar ei hwyneb a mwd ar ei thrywsus.
'Wyt ti'n teimlo'n well nawr?' gofynnodd Sali Mali. 'Wyt ti'n teimlo awydd bwyta ychydig bach o swper?'

'O, ydw! Dwi'n clemio,' meddai Sam.

'O . . . Ond beth am y poen yn dy fol?' gwichiodd Sara.

'Does gen i ddim un,' meddai Sam yn syn, ac yna fe ddeallodd hi. 'Mae e wedi mynd nawr,' meddai.

'Rwyt ti'n teimlo'n well ar ôl gorwedd i lawr, siŵr o fod,' meddai Sali Mali.

Dim ond gwenu wnaeth Sam.

Fe aethon ni i gyd i eistedd i lawr a daeth Uned 5 â'r bwyd i ni.

'Mmm, blasus iawn!' meddai Sam gan lowcio'r pasta fel mochyn.

Edrychon ni i gyd yn syn arni. Yr M&Ms oedd wedi coginio'r bwyd a dyw hi ddim fel arfer yn canmol y rheiny.

'Dwyt ti ddim wedi rhoi rhywbeth cas yn y bwyd, wyt ti?' meddai Ali gan syllu arni'n amheus.

'Wyt ti'n gall?' chwarddodd Sam. 'Fyddwn i byth yn rhoi rhywbeth cas mewn bwyd ac yna'n ei fwyta.'

'Beth wyt ti wedi bod yn ei wneud 'te?' gofynnais.

Ond dim ond ysgwyd ei phen wnaeth Sam

a tharo'i thrwyn â blaen ei bys. 'Cewch chi weld cyn bo hir,' meddai.

Ar ôl i bawb orffen bwyta, fe godon ni a dechrau casglu'r platiau.

'Bwyd blasus iawn,' sibrydodd Sam yng nghlust Emma Davies, wrth iddi estyn ei phlât.

Edrychodd yr M&Ms yn ddrwgdybus iawn ar Sam, ond gwenu wnaeth Sam a mynd â'r platiau i Gaffi Sali Mali.

Ar ôl y pwdin, roedd yn rhaid i ni olchi'r llestri. Hwyl neu be? Dwi'n casáu golchi'r llestri gartre, ond dyw bod gartre ddim 'run fath â bod yng nghanol cae yn chwarae dwli gyda'm ffrindiau. Fe gawson ni hwyl – er i ni olchi'n hunain llawn cymaint â'r platiau! Fe sylwais i fod Sam yn go wlyb yn barod, ond wnâi hi ddim dweud pam.

Erbyn i ni orffen roedden ni i gyd yn wlyb sopen. Ac yn eitha blinedig. Wyt ti wedi sylwi ar hyn – pan wyt ti gartre, rwyt ti eisiau aros lan yn hwyr, ond pan fyddi di'n mynd i ffwrdd, rwyt ti eisiau mynd i'r gwely'n gynnar ar y noson gynta achos mae popeth mor newydd?

Roedd pawb yn teimlo'r un fath, achos

roedd ein llygaid ni'n cau wrth i ni eistedd tu allan yn canu. Ro'n i wedi disgwyl cael tân mawr bob nos, ond doedd dim tân y noson gynta, er mawr siom i ni. Dwedodd Nia bod gormod o waith paratoi, ond addawodd y bydden ni'n cael tân bob noson arall.

Roedd hi bron yn dywyll pan aethon ni i'n pebyll i nôl ein bagiau 'molchi. Cyn gynted ag yr aethon ni i mewn i'n pabell ni, cydiodd Sam yn y bocs hufen iâ ac aeth i sbecian drwy fflap y babell.

'Am beth wyt ti'n edrych?' gofynnodd Ali.

'Am yr M&Ms,' atebodd Sam. 'Shhhh! Maen nhw'n dod.'

Gollyngodd y fflap ac arhosodd iddyn nhw fynd heibio. Roedd hi'n cydio'n dynn yn y bocs. Y tu mewn iddo roedd dŵr yn slochian.

'Nawr ewch i gyd i Tŷ Chi a gwnewch eich gorau i gadw'r Ddwy Ddraenen a'i ffrindiau yno. Iawn?' gorchmynnodd Sam.

'Iawn, syr!' Saliwtiais i ac Ali a Sara. Dim ond edrych yn grac wnaeth Ffi.

'Tybed beth mae hi'n mynd i wneud?' meddai Sara wrth i ni gerdded i'r caban 'molchi.

'Dim syniad,' meddai Ali gan godi ei hysgwyddau. 'Rhywbeth pwysig iawn, yn ôl ei golwg hi!'

'Ond pam na all hi ddweud wrthon ni?' cwynodd Ffi.

'Dwi'n siŵr bod gyda hi reswm da,' meddai Ali. 'Ta beth rhaid i ni gofio cadw'r M&Ms yn y caban cyhyd ag y gallwn ni.'

Aethon ni i mewn i'r caban 'molchi. Roedd merched Uned 5 ar eu ffordd allan. Gwenon nhw a dweud 'Nos da'.

'Maen nhw'n serchog iawn, on'd ŷn nhw?' meddai Ffi.

'Yn wahanol i rai,' meddai Sara gan edrych yn chwyrn ar yr M&Ms.

'Ble mae eich ffrind fach gas chi?' gofynnodd Emma Davies.

'Sam? Mae gyda hi stumog dost,' meddai Ali.

'Stumog dost iawn, gobeithio,' meddai Amanda Porter gan wenu'n llydan.

Chwarddodd ei ffrindiau'n ddwl ac yn sbeitlyd.

'Ar eich bwyd chi mae'r bai, siŵr o fod,' meddai Ffi a oedd yn sefyllian wrth y drws.

'Wel, fwytaist ti ddim llawer,' meddai Emma Davies yn swta. 'Dylai llipryn bach fel ti fod yn magu nerth. Byddi di'n edrych fel ffŵl dwl, pan ei di ar y cwrs antur y tro nesa.'

Aeth Ffi'n goch fel tomato. Ond roedd Emily Mason 'run mor goch. Dechreuodd gerdded at y drws.

Fe wylltion ni wedyn, dwi'n meddwl, yn enwedig Ffi. Gan fod Ffi'n sefyll wrth y drws, ei busnes hi oedd stopio Emily Mason. Ond doedd dim disgwyl i Ffi daclo Emily a'i thaflu i'r llawr. Dechreuodd din-droi, wedyn collodd ei gafael ar ei bag 'molchi a phlygodd i'w godi. Sylwodd Mason ddim a baglodd dros Ffi. Rholiodd y pethau o'i bag dros y llawr a chwympodd hithau ar eu pennau. Roedd fel golygfa allan o ffilm gartŵn. Roedd e'n wych! Y gorau posibl!

Fe helpon ni i godi popeth. Ac wrth gwrs roedd Ali a Sara a fi'n esgus cawlio a rhoi pethau Emily Mason ym mag Ffi. Fe fuon ni wrthi am amser nes cael popeth yn ôl i'w le.

'Rwyt ti mor lletchwith!' chwyrnodd Emma Davies wrth Ffi ar y ffordd allan.

'A *hi*,' meddai Sara, gan edrych ar Emily

Mason. 'A fyddan ni ddim isio i'w germau hi lygru pethau Ffi.'

Ar ôl i'r M&Ms a'i ffrindiau gerdded allan a'u trwynau'n yr awyr, fe chwarddon ni dros y lle.

'Beth am Sam?' gwichiodd Ffi. 'Beth os nad yw hi wedi gorffen?'

'Ond dwi wedi,' meddai Sam gan ddod i'r golwg yn sydyn. 'Dwi wedi bod yn eich gwylio chi o'r tu ôl i'r llwyn. Da iawn, Ffi!'

Wnâi Sam ddim dweud ble oedd hi wedi bod. Roedd ganddi wên fawr bwysig ar ei hwyneb. 'Fe gewch chi wybod cyn hir,' oedd yr unig ateb gawson ni ganddi.

Gorffennon ni 'molchi a glanhau ein dannedd, wedyn aethon ni'n ôl i'n pabell a pharatoi i fynd i'r gwely. Tynnon ni'n dillad yn ein sachau cysgu ac eisteddon ni mewn cylch o gwmpas y polyn.

'Dewch i fwyta'r wledd ganol nos nawr,' dwedais. 'Dwi wedi blino. Dwi bron â mynd i gysgu!'

Chwarddodd y lleill. Fi sy'n mynd i gysgu gynta bob tro.

Gwagion ni ein bagiau losin ar sach gysgu Sam. Roedd ei losin hi'n edrych yn iych-pych, achos roedden nhw wedi bod yn gorwedd yng ngwaelod ei bag ac roedd fflwff drostyn nhw.

'Sut ydyn ni'n penderfynu beth i'w fwyta heno a beth i'w gadw tan nos fory?' gofynnodd Sara.

'Sut ydyn ni'n mynd i stopio'n hunain rhag bwyta popeth heno, ti'n feddwl?' meddai Ali gan chwerthin.

'A sut ydyn ni'n mynd i stopio bwystfil y gors rhag cripian i mewn a dwyn ein losin ni?' meddai Sam mewn llais oeraidd.

'Paid!' gwichiodd Ffi.

'Ydw i'n dy ddychryn di?' meddai Sam mewn llais 'run mor oeraidd.

Cyn i Ffi ateb, atseiniodd sgrech erchyll drwy'r gwersyll. Cydion ni'n dynn yn ein gilydd a dal ein hanadl!

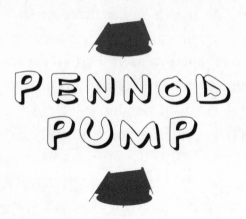

PENNOD PUMP

'Beth oedd y sŵn 'na?' gwichiodd Ali.

'Dim syniad! O'r babell drws nesa ddaeth o,' meddai Sara.

Edrychon ni ar ein gilydd.

'Yr M&Ms!' meddai pawb.

'Mae Nia newydd fynd i mewn i'r babell,' meddai Ffi.

Aethon ni i gyd i sbecian drwy fflap ein pabell ni. Roedd rhywun yn dal i sgrechian ac roedd hi'n swnio'n debyg iawn i Emma Davies. Wedyn fe glywson ni lais Nia.

'Digwydd neidio i mewn wnaeth e, Emma,' meddai. 'Fyddai neb wedi rhoi broga yn dy sach gysgu di'n fwriadol.'

Wel, roedden ni yn ein dyblau pan glywson ni hynna.

'Broga!' gwichiodd Ali wrth Sam. 'Roist ti froga go iawn yn ei sach gysgu hi!'

Roedd Sam yn nodio ac yn pwffian chwerthin.

'Ssssh! Mae Nia'n dod!' meddai Ffi.

Neidion ni i mewn i'n sachau cysgu.

'Pawb yn iawn, ferched? gofynnodd Nia.

'Beth oedd y sŵn 'na?' meddai Ffi mewn llais bach gwan.

'O, dim byd o bwys,' meddai Nia. 'Dydych chi ddim wedi bod yn busnesa ym mhabell y Teletybis, ydych chi?'

'Ni? Naddo, byth!' meddai Sam.

'Hmmm,' meddai Nia'n feddylgar. 'Dwi ddim eisiau unrhyw helynt. Dwi am i hwn fod yn wersyll hapus.'

'O, rydyn ni *yn* hapus!' meddai Sara'n daer. 'Rydyn ni wrth ein boddau, on'd ydyn ni?'

'Ydyn!' meddai pawb, gan drio peidio â chwerthin.

'Da iawn!' meddai Nia. 'Chi sy'n coginio fory, felly rhaid i chi godi erbyn saith. Ewch i gysgu nawr. A chysgwch yn dawel!'

Ar ôl gwneud yn siŵr bod Nia wedi mynd, dyma ni'n eistedd lan yng ngolau tortsh.

'Roedd hynna'n ffantastig!' gwichiais.

'Beth os bydd yr M&Ms yn sylweddoli mai ni oedd yn gyfrifol am y broga ac yn taro'n ôl?' meddai Ffi gan grynu. 'Os gwela i froga yn fy sach, bydda i'n marw o ofn.'

'Gwell i ni beidio â gadael y babell yn wag am amser hir fory, rhag ofn,' meddai Ali mewn llais difrifol. 'A gwell i ni gau'r fflap yn dynn heno.'

Codais i a Sam a chau'r fflap yn dynn, dynn. Fyddai Bwystfil y Bermo ddim wedi dod drwyddo!

'Dylen ni fod yn dathlu, ta beth,' meddai Sam. 'Ni sy wedi ennill! Pwy sy am froga siocled?'

Dechreuon ni rolio chwerthin unwaith eto.

Roedd ein gwledd ganol nos yn gorwedd blith draphlith dros sach gysgu Sam. Casglon ni bopeth at ei gilydd a'u rhannu'n dri phentwr. Dewison ni un pentwr, wedyn fe roddon ni'r gweddill mewn dau fag plastig a'u gadael ar bwys y polyn.

Fe fwytais i werth fy mhwysau mewn

siocled (dwi'n meddwl!) a dwedais, 'Dwi'n llawn dop!'

'A fi!' meddai Sara.

'Gwell i ni fynd i gysgu nawr, gan ein bod ni'n codi'n gynnar fory,' meddai Ali.

Ro'n i'n disgwyl i Sam brotestio, ond roedd hi'n swatio yn ei sach gysgu. 'Saith o'r gloch!' cwynodd. ''Na amser dwl!'

Roedd hi'n od cael cyfarfod o'r Clwb mewn pabell. Yn enwedig gan ein bod ni i gyd wedi blino gormod i ganu Cân y Clwb. Ond o leia roedd gyda ni ddau gyfarfod arall 'dan ganfas' o'n blaenau.

Wyt ti'n iawn? Dwi ddim yn cerdded yn rhy gyflym, ydw i? Dyw'r parc chwarae ddim yn bell nawr, wedyn fe awn ni ar y siglenni. Betia i ti y bydd Sam mewn gwell hwyl heddiw nag oedd hi ar y bore cynta yn y gwersyll. Waw, mae hi mor wenwynllyd yn y bore. Yn enwedig pan fydd Nia wedi ei deffro ar doriad gwawr!

'Dwedwch wrthi am fod yn dawel!' llefodd Sam gan wthio'i phen o dan y gobennydd.

Cripiodd y gweddill ohonon ni allan o'n sachau a chrwydro o gwmpas yn gysglyd. Ond erbyn i ni wisgo'n hunain, a gwisgo Sam – roedd hi'n rhy flinedig i wisgo ei hunan, meddai hi – roedden ni'n barod i wynebu pawb a phopeth. Wel, bron pawb. Doedden ni ddim yn barod i wynebu'r M&Ms, cred ti fi.

Pan welson ni nhw, roedden ni'n gwybod bod pethau'n ddrwg.

'Fe dalwn ni'n ôl i chi!' hisiodd Emma Davies, wrth i ni roi ffa pob a thost ar ei phlât.

'Am beth?' meddai Sam yn ddiniwed.

'Fe fyddwch chi'n difaru!' meddai Emily Mason gan gipio'i phlât o'm llaw i.

'Beth fyddan nhw'n wneud, chi'n meddwl?' sibrydodd Ffi. 'Beth os ydyn nhw wedi bod yn ein pabell ni, pan oedden ni'n coginio brecwast?'

Rhuthron ni'n ôl i'r babell cyn gynted ag y gallen ni, ond doedd dim byd ar goll. Edrychon ni yn ein sachau cysgu hefyd, ond doedd dim brogaod ynddyn nhw.

'Allwn ni ddim aros yn y babell drwy'r dydd!' meddai Ffi.

'Fydd dim rhaid i ni. Mae pob grŵp yn mynd i wneud gweithgareddau gwahanol ar draws Cwm Cadno,' eglurodd Ali. 'Ac fe fyddwn ni i gyd yn ôl yn y gwersyll gyda'n gilydd amser cinio. Os aiff yr M&Ms yn agos at ein pabell ni, fe welwn ni nhw.'

'Gobeithio na fydd eu grŵp nhw'n cyrraedd yn ôl o flaen ein grŵp ni, yntê?' meddai Sara.

Chawson ni ddim llawer o amser i boeni; cyn hir roedden ni'n brysur yn ceisio perswadio Ffi i ddod i lawr o ben y tŵr abseilio. Doedd e ddim yn uchel iawn o gwbl, ond roedd Ffi wedi troi'n jeli eto. Mae'n ddwl. Fe allai hi ei wneud e'n iawn, ond mae hi'n penderfynu na all hi ddim ac wedyn mae'n gwrthod.

Daeth Bwgan i abseilio gyda ni, ac hefyd hyfforddwr cŵl iawn o Gwm Cadno o'r enw Dan. Bob tro roedd e'n galw enw Ffi, roedd hi'n mynd i dop y tŵr, edrych i lawr a dechrau crynu. Ro'n i'n teimlo tipyn bach o drueni drosti, yn enwedig gan fod Sam yn gweiddi arni.

'Ffi, paid â bod yn fabi!' meddai. 'Edrych ar y rhaffau sy ym mhobman. Alli di ddim cwympo. Mae'n amhosib, on'd yw e, Dan?'

'Siŵr iawn!' meddai Dan. 'Dwi'n gafael yn dynn ynot ti i fyny fan 'ma.'

Winciodd ar Bwgan, ac fe aeth hi'n goch, goch.

Ro'n i'n meddwl y byddai Ffi'n aros yno drwy'r dydd. Fe fuon ni'n siarad yn garedig â hi. Fe fuodd Sam yn ei bygwth. Fe gynigion ni farnais ewinedd newydd iddi hyd yn oed, ond doedd dim yn gweithio.

Wedyn gwelodd Ffi'r M&Ms. Roedden nhw wedi bod yn ymarfer saethyddiaeth ac roedden nhw ar eu ffordd yn ôl i'r gwersyll i gael cinio. Trodd Amanda Porter i edrych arnon ni a sylwodd hi ar Ffi ar ben y twr. Dwedodd hi rywbeth wrth yr M&Ms a dyma'r ddwy'n troi i edrych. Yna dechreuon nhw gerdded tuag aton ni.

Roedd Ffi mewn panig ac yn gwaethygu bob eiliad. Roedd hi'n edrych fel petai hi'n mynd i gwympo o ben y twr mewn braw. Yn enwedig pan grychodd y gwrachod eu trwynau a dechrau gwichian fel llygod. Ond fe gafodd hynny effaith ryfedd ar Ffi.

'Iawn, dwi'n mynd lawr nawr,' meddai Ffi'n sydyn wrth Dan.

Trodd a dechrau abseilio'n ara bach i lawr y twr. Dyma ni i gyd yn gweiddi geiriau calonnog.

Pan gyrhaeddodd Ffi'r gwaelod, roedd ei choesau'n gwegian wrth i Bwgan dynnu'r harnais.

'Cŵl!' meddai Sam gan chwerthin. 'Y tro nesa y byddwn ni am dy gael di i lawr o ben y tŵr, fe ofynnwn ni i'r M&Ms ddod i wneud hwyl am dy ben di.'

Roedd y Ddwy Ddraenen a'i ffrindiau wedi dechrau cerdded yn ôl tuag at y pebyll. Ro'n i mor falch fod Ffi wedi profi nad oedd hi ddim yn llygoden. Ond un fel 'na yw Ffi – yn sydyn reit mae hi'n rhoi sioc i chi!

Pan aethon ni'n ôl i'r gwersyll roedd yn rhaid i ni wneud brechdanau i bawb i ginio. Diflas! Ond roedd pawb arall yn gorfod casglu coed tân, ac roedd hynny'n waeth byth. Roedd ein grŵp ni yn mynd i helpu Nia i gynnau'r tân ar ddiwedd y prynhawn. Allwn i ddim aros!

Tra oedden ni'n gwneud y brechdanau, roedd pob un ohonon ni yn ei thro yn mynd i gadw golwg ar y babell. Nes i Nia ddechrau sylwi. Ond erbyn hynny roedd y merched eraill yn aros am ginio ta beth.

'Betia i ti fod gormod o ofn ar yr M&Ms i

dorri i mewn i'n pabell ni,' meddai Sam yn hyderus. 'Ni sy'n ennill o un gôl i ddim!'

'Gobeithio mai hwnna fydd y sgôr terfynol!' meddai Ali'n ddifrifol iawn.

Ar ôl cinio fe gawson ni amser braf yn canŵio. Roedd yn rhaid i ni ganolbwyntio'n galed iawn ar eiriau'r hyfforddwr, felly doedd gyda ni ddim amser i feddwl am yr M&Ms. Erbyn i ni gyrraedd ein pabell, ro'n i wedi blino'n lân. Ac yna roedd yn rhaid i ni baratoi'r bwyd ar gyfer y cinio wrth y tân. Mae gwersylla'n waith anodd weithiau!

Roedd helpu Nia i wneud y tân yn hwyl. Mae'n eitha anodd cynnau'r tân. Welson ni ddim un pluen o fwg am oesoedd. Yna o dipyn i beth cydiodd y tân a chyn bo hir roedd fflamau ffyrnig yn codi ohono. Doedd e ddim yn beryglus, achos roedden ni wedi cael ein siarsio i beidio â mynd yn rhy agos a pheidio â chwarae dwli. Fe wrandawodd Sam hyd yn oed. Hefyd fe gawson ni ymarfer tân ac esgus estyn bwcedi o ddŵr, felly, petai'r tân yn ymledu, bydden ni'n barod amdano.

I swper roedden ni'n mynd i gael tatws pob wedi'u lapio mewn ffoil a'u coginio ar y tân.

Roedden nhw'n cymryd amser hir i goginio, felly gofynnodd Nia i bob grŵp fynd i ffwrdd, trafod gyda'i gilydd a dewis cân, dawns neu bennill ar gyfer y cyngerdd nos drannoeth.

Nodiodd Sam yn bwysig i ddangos ei bod hi'n gwybod popeth am y cyngerdd ac roedd Ffi'n gyffro i gyd. Dwi'n meddwl bod Ffi am i ni ddechrau ymarfer dawnsio ar unwaith, ond doedd Sam ddim yn fodlon. 'O-cê. Dewch i ni ddechrau ymarfer ar gyfer y Cwpan Antur,' meddai.

Aeth Ffi'n wyn fel y galchen. 'O . . . Ond dwi ddim yn mynd ar y cwrs antur eto,' meddai'n lletchwith.

''Drycha 'ma, Ffi, os wyt ti'n gallu abseilio i lawr y tŵr, fe alli di wneud y cwrs antur heb ddim trafferth o gwbl,' meddai Sam yn galonnog. 'Dychmyga'r M&Ms yn chwerthin am dy ben!'

'Diolch yn dalpe!' meddai Ffi'n grac. 'Ta beth, rydyn ni i fod paratoi ar gyfer y cyngerdd.'

'Paid â bod mor ddwl!' medai Sam. 'Rydyn ni wedi dawnsio digon yn y Clwb Cysgu Cŵl. Rydyn ni'n gwybod y dawnsiau'n barod. Ond dydyn ni ddim wedi ymarfer ar gyfer y Cwpan

61

Antur. Dewch i ni redeg yn ôl i'r babell, gwneud deg *sit-up*, wedyn rhedeg yn ôl a gwneud *press-ups*!'

Roedd hi o ddifri!

'Dewch! Rydyn ni i gyd eisiau ennill, on'd ydyn ni?' gwaeddodd gan redeg i ffwrdd.

Rhedodd pawb arall ar ei hôl gan bwffian a gwichian. Roedden ni wedi blino'n lân, pan waeddodd Nia fod swper yn barod. Roedd Sam fel sarjant yn gweiddi arnon ni'r milwyr. Roedden ni mor falch o gael eistedd i lawr a bwyta'r tatws.

Drwy lwc doedden ni ddim yn eistedd yn ymyl yr M&Ms, felly wnaethon nhw ddim sarnu'n swper ni. Ond fyddai dim byd o gwbl wedi sarnu blas y *marshmallows* twym a gawson ni'n bwdin. Roedden nhw'n iymi!

Ar ôl bwyta, fe fuon ni'n canu caneuon. Fe fuon ni'n canu Holiaci-hi ac yn gwneud Dawns Llangrannog gyda'r symudiadau i gyd. Wedyn fe fuon ni'n canu caneuon pop.

Criw blinedig, ond hapus iawn, gripiodd yn ôl i'r babell. Roedden ni bron â'i chyrraedd, pan stopiodd Sam ni. 'Sh!' sibrydodd. 'Mae rhywun yn ein pabell ni!'

PENNOD CHWECH

Stopion ni'n stond a gwrando. Roedd Sam yn iawn. Roedd rhywun yn chwilota yn ein pabell ni. Yr M&Ms, mae'n siŵr!

'Iawn! Fe setla i nhw nawr!' sibrydodd Sam.

Dechreuodd glymu fflap y babell.

'Peidiwch â gadael iddyn nhw ddod mas ar unrhyw gyfri,' rhybuddiodd. 'A pheidiwch â gadael iddyn nhw wybod eich bod chi yma.'

Rhedodd i gyfeiriad Caffi Sali Mali. Beth oedd hi'n mynd i'w wneud? Doedd gyda ni ddim syniad, nac amser i boeni chwaith. Roedden ni'n rhy brysur yn gofidio am yr M&Ms. Beth petaen nhw'n dod mas?

Daeth Sam yn ôl mewn chwinc. Roedd hi'n cario chwistrell fawr o hufen.

'Wyt ti wedi dwyn honna?' meddai Ffi'n chwyrn.

'Nac'dw!' meddai Sam. 'Dwi wedi'i benthyg hi, dyna i gyd.'

Plygodd i lawr ac yn dawel bach dechreuodd ddatod y fflap. Yna dyma ni i gyd yn swatio yn barod i neidio ar yr M&Ms, cyn gynted ag y dôi'r ddwy i'r golwg.

'Dwi'n eu clywad nhw'n dod,' sibrydodd Sara.

Codon ni i gyd ar ein traed. Roedd fy nghalon yn curo fel gordd. Pan agorodd y fflap, sgrechion ni i gyd a dechreuodd Sam chwistrellu'r hufen yn wyllt. Ac yna dyma'r blob mawr gwyn yma'n sgrechian yn ôl ac yn taro yn ein herbyn ni ac fe sylweddolon ni pwy oedd hi. Nid yr M&Ms, ond Anti Mai, modryb Ffion!

'Beth ar y ddaear ŷch chi'n wneud?' gofynnodd Nia. Roedd hi wedi clywed y sŵn ac yn brysio tuag aton ni.

'Roedden ni'n meddwl bod lleidr yn y babell,' meddai Sam mewn llais bach.

'Wel, does 'na ddim un, mae'n amlwg,' meddai Nia. 'Mae mam Ffi wedi anfon dillad isa glân iddi ac roedd Mrs Richards yn eu gadael yn y babell.'

Roedd Nia'n edrych yn grac iawn, ond drwy lwc roedd Anti Mai yn chwerthin. 'Fe orffennodd y cwrs y prynhawn 'ma,' meddai, 'felly fe ddes i lawr atoch chi i'r gwersyll. Ro'n i'n meddwl rhoi syrpreis bach i ti, Ffion, gan nad ydw i wedi dy weld di ers amser. Ond dylwn i fod wedi rhoi'r dillad i ti yn lle cripian i mewn i'r babell.'

Roedd Ffi'n goch fel tomato – achos bod pawb wedi clywed am y dillad isa glân, dwi'n meddwl. Roedd hynny'n fwy pwysig iddi na'r ffaith ein bod ni wedi chwistrellu hufen dros Anti Mai.

Roedd y merched eraill i gyd wedi dod i weld beth oedd yn digwydd. Yn anffodus roedd yr M&Ms ar flaen y rhes, yn gwneud hwyl am ein pennau, ac roedd hynny'n annioddefol.

'O leia mae 'na un peth da,' meddai Ali, pan oedden ni'n clirio'r llanast ar ôl i Nia anfon pawb arall i ffwrdd.

'O ie, a beth yw hwnnw?' gofynnodd Sam.

'Dyw'r M&Ms ddim wedi llwyddo i

chwarae tric arnon ni heddi,' meddai Ali'n falch. 'Betia i ti eu bod nhw wedi methu meddwl am dric. Dydyn nhw ddim yn ddigon clyfar. 'Na biti!'

Chwarddodd pawb.

Roedden ni'n barod i fynd i gael cawod, gyda'n bagiau 'molchi yn ein dwylo, pan ddwedodd Sam. 'Gadewch i ni redeg i'r gawod, gwneud *push-ups* yn erbyn y wal, cael cawod ac yn y blaen, ac wedyn loncian yn ôl!'

Nawr dwi'n hoffi Sam cymaint ag unrhyw un, ond roedd hi'n mynd dros ben llestri. Roedd hi'n ein trin ni fel milwyr bach. A ninnau wedi blino'n lân.

'Paid â bod mor ddwl, Sam!' cwynodd Ali. 'Fe ddaethon ni yma i gael hwyl.'

'Ond mae'n rhaid i ni ennill y Cwpan Antur!' meddai Sam. Dyna'r unig beth oedd ar ei meddwl hi.

'Dwi wedi dweud wrthot ti, dwi ddim yn mynd ar y cwrs antur eto,' meddai Ffi. 'A dwi'n mynd i ddweud hynny wrth Anti Mai fory. Fydd Anti Mai ddim yn fy ngorfodi i, os nad ydw i eisiau mynd.'

Aeth llygaid Sam yn gul, gul ac edrychodd

yn gas iawn ar bawb. 'Wel, dw i'n mynd i guro'r M&Ms, hyd yn oed os ydych chi'n ormod o fabis.' Tasgodd y geiriau o'i cheg ac yna i ffwrdd â hi ar ras i'r caban 'molchi.

Edrychon ni i gyd ar ein gilydd, cyn trotian ar ei hôl.

Drwy lwc roedd hi'n dawel yn y caban. Rhaid bod y merched eraill wedi cael cawod pan oedden ni'n ymddiheuro i Anti Mai ac yn tacluso. Fe gymerodd oesoedd i ni sychu'r hufen oddi ar y babell. Roedd peth ohono wedi mynd i mewn i sach gysgu Sara, hyd yn oed.

Roedd hufen droston ninnau hefyd, felly fe benderfynodd pawb gael cawod. Roedd caban cawod i bob un ohonon ni, ond yn anffodus doedd dim llawer o ddŵr poeth ar ôl. Roedden ni'n rhewi erbyn i ni ddod allan a sychu'n hunain.

'Wel, o leia rydan ni wedi oeri,' chwarddodd Sara. 'Waeth i ni loncian yn ôl i'r babell wedi'r cyfan – er mwyn cynhesu!'

Felly, ar ôl glanhau ein dannedd, dyna beth wnaethoon ni. Roedden ni'n chwerthin ac yn giglan yr holl ffordd, ac fe wnaeth hynny dorri'r naws, achos roedden ni'n dal i deimlo braidd yn ddig tuag at Sam. Roedd hi mor benderfynol o ennill y Cwpan Antur, roedd hi'n dechrau sarnu'r gwersyll i bawb arall.

Pan gyrhaeddon ni'n ôl, fe glywson ni'r M&Ms yn y babell drws nesa. Roedden nhw'n cael gwledd ganol nos, er nad oedd hi'n hanner nos eto.

'On'd yw'r *Choc Dips* yn flasus!' meddai Emma Davies.

'Mmmm, dim hanner cystal â'r poteli llaeth!' meddai Emily Mason yn ei llais cryg. Weithiau rydyn ni'n ei galw hi 'Y Coblyn' am fod ei llais mor ddwfn – ac am ei bod hi mor fach.

Roedd y Teletybis eraill yn canmol eu losin hefyd.

'Maen nhw mor pathetig!' cwynodd Sam. 'Maen nhw'n meddwl mai nhw yw'r cynta erioed i gael gwledd ganol nos.'

Dechreuodd udo fel blaidd ac fe wnaethon ni i gyd udo hefyd.

'O, tyfwch lan!' gwaeddodd Emily Mason. 'Dwi'n gwbod mai ti sy 'na, Helen Samuel. Alli di ddim meddwl am rywbeth mwy gwreiddiol?'

Roedd Sam o'i cho. Ond cyn iddi ddweud gair, meddai Emma Davies mewn llais neis-neis, 'Ydy Ffion yna?'

Crychodd Ffi ei thrwyn a dweud, 'Ydw. Beth wyt ti'n moyn?'

'Gwell i ti fynd i wisgo'r dillad glân anfonodd Mami i ti,' meddai Emma Davies mewn llais siarad-â-babi. 'Fe lanwest ti dy nicers ar ben y tŵr abseilio, on'd do fe? Babi clwt wyt ti, Ffion *Dirtybottom*!'

Allen ni ddim gweld wyneb Ffi achos roedd hi'n dywyll, ond roedden ni'n gallu teimlo'r gwres yn codi o'i bochau! Mae hi'n casáu clywed pobl yn gwneud hwyl am ei phen – ac yn enwedig am ben ei chyfenw. Sidebotham yw ei chyfenw, ond does neb byth yn ei ddweud fel 'na!

Wedyn dyma Amanda Porter yn dechrau pigo ar Ffi druan. 'Bydd angen mwy o ddillad glân arnat ti, pan fyddwn ni wedi'ch curo chi'n rhacs yn y Cwpan Antur!' meddai yn ei llais tew, twp. 'Bydd rhaid i chi i gyd gael dillad glân.'

'Dewch!' meddai Sam drwy'i dannnedd. 'Dydyn ni ddim yn mynd i aros fan hyn i wrando ar y twpsod 'ma. Dim ond siarad dwli maen nhw.'

Aethon ni am y cynta i mewn i'r babell. Ddwedodd neb air. Fe dynnon ni ein dillad a pharatoi i fynd i'r gwely mewn tawelwch dwfn, am y tro cynta erioed bron iawn!

Ar ôl munudau hir o dawelwch, sibrydodd Sam, 'Nawr ydych chi'n deall pam mae'n rhaid i ni eu curo nhw?'

Nodiodd pawb. Heblaw Ffi. 'Dwi'n mynd i ddweud wrth Anti Mai na fydda i ddim yn gwneud y cwrs antur,' mwmiodd.

Cyn i Sam ddechrau gweiddi arni, daeth Ali i'r adwy.

'Wel', meddai, 'mae eisiau i ni fagu nerth. Beth am gael rhywbeth bach i'w fwyta cyn mynd i'r gwely? Os yw'r M&Ms dwl yn gallu gwneud cymaint o sŵn wrth fwyta'u gwledd ganol nos, fe allwn ni wneud dwywaith gymaint.'

'Gallwn!' gwaeddodd pawb yn groch.

Aethon ni i gyd i chwilota wrth waelod y polyn, ond cyn i ni allu cael gafael ar y losin a adawson ni yno y noson cynt, dyma olau tortsh yn fflachio drwy'r fflap. Neidiodd pawb, ond dim ond Nia oedd yno.

'Dwi ddim yn gwbod beth yw'r cweryl rhyngddoch chi ac Emma a'i ffrindiau,' meddai'n llym, 'ond dwi am i chi roi stop arni nawr.'

'Ond nid ein bai ni ydy o i gyd,' meddai Sara.

'Dwi'n gwbod, ond dwi ddim eisiau clywed rhagor,' meddai Nia. 'Dwi wedi siarad â'r merched drws nesa ac maen nhw wedi addo peidio â chweryla rhagor. Dwi'n disgwyl i chi addo hefyd.'

Roedden ni'n gallu teimlo ei llygaid yn syllu arnon ni, ond feiddien ni ddim edrych arni.

'Wel?'

'Iawn. Mae popeth yn iawn nawr,' meddai Ali. 'Fydd 'na ddim rhagor o helynt.'

Nodiodd pawb arall yn anfodlon iawn.

'Dda gen i glywed,' meddai Nia gan wenu. 'Nawr ewch i gysgu, achos mae 'na ddiwrnod prysur o'ch blaenau fory eto. Brecwast rownd y tân y peth cynta'n y bore! Cysgwch yn dawel!'

Caeais i a Sam y fflap ar ei hôl, a dyma ni'n troi at y lleill.

'Beth wnawn ni rŵan?' meddai Sara.

'Wel, os ydy'r M&Ms wedi addo – ac yn cadw at eu haddewid – bydd rhaid i ni fod yn ffrindiau tan ddiwedd y gwersyll,' dwedais.

'Ond beth am y Cwpan Antur?' meddai Sam.

'Dyna ddiwedd ar hwnnw!' meddai Ffi gan swnio'n hapusach o lawer.

'O, dwi ddim yn siŵr,' meddai Ali'n gyflym. Roedd hi'n gwybod na fyddai Sam mor barod i roi i fyny. 'Dwi'n meddwl y dylen ni gael ein gwledd ganol nos ac anghofio amdano tan y bore.'

Dechreuon ni edrych ym mhob twll a cornel a chwilota yn ein bagiau. Ond doedd dim sôn am y losin.

'O-cê, dyw hyn ddim yn ddoniol!' meddai Sam gyda dychryn yn ei llais. 'Ble mae'r bwyd? Pwy sy wedi ei symud e?'

Ysgydwodd pawb eu pennau, yna fe edrychon ni yn ein bagiau eto. Ac yn ein sachau cysgu, yn ein bagiau 'molchi ac yn ein welingtons. Dim byd!

'Ydach chi'n meddwl bod Anti Mai wedi mynd â fe?' gofynnodd Sara. 'Roedd hi yma, on'd oedd?'

'Paid â bod mor ddwl. Fyddai hi ddim yn mynd â fe!' meddai Ffi'n grac. 'Dwi'n meddwl mai'r M&Ms sy wedi'i ddwyn. Maen nhw wedi bwyta ein gwledd ganol nos ni!'

A'r eiliad honno clywson ni sŵn giglan y tu allan i'r babell.

'Rwyt ti'n iawn, Miss Nicer!' sgrechiodd Emma Davies. 'Roedd hi'n wledd iymi iawn hefyd!'

'O-cê, 'na'i diwedd hi!' sgrechiodd Sam. 'Mae'n rhyfel rhyngddon ni!'

Ac yn ôl ei golwg hi roedd hi'n dweud y gwir bob gair.

PENNOD SAITH

Chysgodd neb yn dda iawn y noson honno. Dyw cyfarfod o'r Clwb heb wledd ganol nos ddim gwerth o gwbl! A dwi'n meddwl bod y gweddill ohonon ni'n poeni y byddai Sam yn dial ar yr M&Ms. Roedd hi'n benderfynol o wneud rhywbeth achos roedd hi'n mwmian yn ei chwsg.

'Cwstard i'r Coblyn,' roedd hi'n mwmian. 'Dŵr oer i Davies.'

Wrth gwrs doedd hi ddim yn gwneud synnwyr ac yn y bore doedd Sam ddim yn fodlon cyfaddef ei bod wedi dweud unrhyw beth o gwbl. Ond roedd hi'n dal yn benderfynol o ddial ar yr M&Ms. Dial go iawn!

'Dim ond un diwrnod sy gyda ni ar ôl i

baratoi ar gyfer y Cwpan Antur!' meddai cyn gynted ag yr agoron ni ein llygaid. 'Rhaid ni ymarfer bob munud sbâr.'

Ochneidiodd pawb. Pletiodd Ffi ei gwefusau ond ddwedodd hi ddim gair.

'Mae'r Teletybis yn coginio, ydan nhw?' meddai Sara.

'Ydyn, dwi'n meddwl. Pam?' meddai Ali.

'Mi fedren ni sleifio i'w pabell a bachu'n gwledd tra maen nhw wrthi,' meddai Sara.

'Gallen,' meddai Sam,' ond dwi'n clemio. Dewch i gael brecwast yn gynta, neu fe fydda i wedi mynd yn ddim!'

Gwisgon ni ar ras a rhedeg i'r caban toiledau. Rhaid bod pawb arall wedi cael yr un syniad, achos roedd ciw enfawr yno.

'Help!' cwynodd Sam, gan strancio fel mwydyn. 'Dwi'n mynd i wlychu'n hunan, os na frysian nhw.'

'Dylech chi i gyd ddechrau gwisgo cewyn babi!' meddai Emma Davies gyda gwên fach gas. Roedd hi newydd ddod allan o Tŷ Ni. 'Dim ond babis ydych chi!'

Roedd yn rhaid i Ali a fi afael yn dynn yn Sam neu fe fyddai wedi neidio ar ben Emma.

Roedd Sam yn dal i gorddi, pan gyrhaeddon ni ben y ciw. 'Hen wrachod salw!' meddai. 'Dwi'n mynd i dalu'n ôl iddyn nhw.'

Doedd Ffi, ar y llaw arall, ddim wedi dweud gair. Roedd hi wedi bod yn dawel iawn ers i ni godi. Roedd hi'n edrych o'i chwmpas fel petai hi'n chwilio am rywun. Wrth i ni fynd draw at y tân, fe welodd hi Anti Mai a rhedodd ati.

'Fydd dim rhaid iddi wneud y cwrs antur, cei di weld,' sibrydodd Sara yn fy nghlust. Ond doeddwn i ddim mor siŵr. Doedd Ffi ddim yn edrych yn hapus iawn. Gadawon ni i Ali dawelu Sam, fe gipion ni dost o law Emily Mason yng Nghaffi Sali Mali ac yna draw â ni at Anti Mai.

'Ond dwi'n dwlu o ofn mynd ar y cwrs antur, Anti Mai!' meddai Ffi mewn llais bach gwichlyd. 'Dwi'n dda i ddim ta beth.'

'Ffion, paid â siarad dwli,' meddai Anti Mai yn llym. 'Sut wyt ti'n gwybod na alli di ddim gwneud y cwrs? Rhaid i ti roi cynnig arno'n gynta.'

Aethon ni i eistedd yn dawel yn ymyl Ffi.

'Dyna pam y daethon ni i'r gwersyll,'

meddai Anti Mai. 'I fagu hyder a dysgu sut i fod yn annibynnol.'

'Ffi, paid â phoeni am y Cwpan Antur,' dwedais. 'Fe helpwn ni di.'

Nodiodd Sara a gwasgu braich Ffi.

Gwenodd Anti Mai arnon ni. 'Rydyn ni hefyd yn dysgu sut i weithio mewn tîm,' meddai. 'Gwna dy orau, Ffion. All neb ddisgwyl mwy na hynny. Iawn, ferched, fe adawa i lonydd i chi.'

Aeth Anti Mai i ffwrdd ac fe syllon ni i'r tân. Doedden ni ddim yn gwybod beth i'w ddweud wrth Ffi.

'Mae hi wedi newid,' meddai Ffi'n araf. 'Mae hi wedi bod ar gwrs antur gyda'i gwaith. Roedden nhw'n gorfod dysgu sut i weithredu fel tîm a nawr mae hi'n disgwyl i bawb wneud 'run fath!'

Druan â Ffi. Roedd ei modryb wedi dechrau dweud y drefn wrthi a nawr doedd ganddi ddim esgus dros beidio â gwneud y cwrs antur.

'Gwranda, Ffi,' meddai Sara. 'Rhaid i ti fod yn bositif. Rwyt ti'n medru gwneud chwaraeon cystal â ni. Fe ddoi di i ben â'r cwrs antur yn hawdd. Rhaid i ti gael ffydd ynot ti dy hun.'

'Oes,' dwedais. 'Yn lle edrych ar y rhwydi a dweud, "Dwi'n mynd i fynd yn sownd!" rhaid i ti ddweud, "Os galla i ddringo ffens sy'n siglo, galla i ddringo'r rhwyd yn hawdd."'

Edrychodd Ffi arnon ni a gwenodd wên fach grynedig. 'O'r gore,' mwmiodd.

Cyn i ni gael amser i ddweud rhagor wrthi, gwibiodd Sam tuag aton ni. 'Amser cinio!' meddai. 'Ymgyrch Achub y Losin! Rydyn ni'n mynd i ymosod ar babell yr M&Ms pan maen nhw'n paratoi cinio.'

Syniad gwych! Ond 'haws dweud na gwneud', meddyliais.

Cyn cinio roedd yn rhaid i'n grŵp ni fynd i ymarfer saethyddiaeth. Cŵl iawn! Ac roedd Ffi'n arbennig o dda, felly fe gododd hynny ei chalon. A dweud y gwir, roedd hi'n boen, achos roedd hi'n brolio'i bod hi'n well na ni drwy'r amser.

'Piti nad oes 'na ddim saethyddiaeth ar y cwrs antur 'te!' meddai Sam yn chwyrn.

Caeodd Ffi ei cheg wedyn.

Ond roedd Sam ei hun fel tiwn gron. Doedd hi'n meddwl am ddim ond am y Cwpan Antur. Amser cinio, wrth i ni gerdded yn ôl i'n pabell, fe ddechreuodd hi'n beirniadu ni. Meddylia!

'Dwyt ti ddim yn cymryd y peth o ddifri,' meddai wrth Ali. 'A dwyt ti, Mel, ddim yn gwneud digon o ymdrech. Sara, mae dy lygaid di'n crwydro i bobman a Ffi, wel, rwyt ti'n hen lipryn bach, on'd wyt ti?'

Dyna'i diwedd hi. Roedden ni i gyd wedi cael llond bol o Sam a'i phregethu. Doedden ni ddim yn mynd i gystadlu yn y Gêmau Olympaidd, oedden ni? Doedden ni ddim yn chwarae dros Gymru chwaith. Dim ond tipyn bach o hwyl ar ddiwedd y gwersyll oedd e.

'Os mai dyna dy agwedd di, Sam, falle dylen ni dynnu'n ôl,' meddai Ali'n grac. 'Dwi'n siŵr y galli di guro pawb arall ar dy ben dy hun.'

Dyna beth od! Doeddwn i erioed wedi clywed Ali'n siarad yn gas â Sam o'r blaen. Maen nhw wedi bod yn ffrindiau gorau ers cyn co'. Ond falle mai dyna pam oedd hi'n gallu siarad ar ein rhan ni.

Ar ôl cyrraedd y gwersyll, aeth Ali'n syth i'n pabell ni. Dilynodd pawb arall, ond fe sleifiodd Sam i ffwrdd ar ei phen ei hun.

'Dwi wedi blino'i chlywed hi'n pregethu,' meddai Ali. 'Mae hi'n sarnu popeth.'

'Meddylia amdana i!' meddai Ffi. 'Mae hi wastad yn fy ngalw i'n llipryn ac yn gwneud hwyl am fy mhen i.'

'Ydy, a dydy o ddim yn deg,' meddai Sara'n garedig.

Sbeciais i drwy'r fflap ac fe welais i Sam yn loetran ar ei phen ei hun. Ro'n i'n teimlo trueni drosti. Roedd hi eisiau talu'n ôl i'r M&Ms. Roedden ni i gyd yn cytuno â hi, ond weithiau mae Sam yn mynd dros ben llestri. Tra oedd y lleill yn dal i gwyno, gadewais i nhw a mynd i weld a oedd Sam yn iawn.

'Haia, Mel,' meddai gyda golwg fach siomedig ar ei hwyneb. 'Ydy popeth yn iawn?'

'Dim yn ddrwg,' dwedais. 'Ond dwi'n meddwl dy fod ti wedi digio pawb.'

Dim ond codi ei hysgwyddau wnaeth Sam. Yna edrychodd yn fwy gobeithiol. 'Falle y gwnân nhw faddau i fi, os achuba i'n gwledd ni o babell y Ddwy Ddraenen,' meddai'n gyffrous. 'Wnei di helpu?'

Doeddwn i ddim yn siŵr. Mae'n iawn pan

fydd y pump ohonon ni'n gwneud campau gyda'n gilydd, ond beth petai dim ond dwy ohonon ni'n cael eu dal?

'Dere, Mel, plîs!' meddai Sam. 'Mae'r M&Ms yn paratoi cinio – dwi wedi'u gweld nhw. Fyddwn ni ddim chwinc.'

Roedd Sam wedi dechrau agor fflap pabell yr M&Ms. Wel, allwn i ddim ei gadael hi ar ei phen ei hun, allwn i? Es i ati.

'Arhosa i fan hyn,' sibrydais, 'i gadw llygad!'

'Fe fydda i oesoedd yn chwilio am y losin ar fy mhen fy hun,' sibrydodd Sam. 'Rhaid i ti ddod i mewn hefyd. Fe fyddwn ni'n ofalus.'

Cripiais ar ei hôl yn anfodlon iawn.

Er bod pabell yr M&Ms yn debyg i'n pabell ni, roedd hi'n edrych yn hollol wahanol. Yn ein pabell ni roedd ein pethau ni dros y lle, ond ym mhabell yr M&Ms roedd pentwr bach taclus wrth droed pob sach. Roedd y lle'n drewi o sanau brwnt hefyd.

Dwi ddim yn hoffi busnesa ym magiau pobl eraill, ond dyna oedden nhw wedi'i wneud.

'Wela i ddim byd. Weli di?' dwedais wrth Sam. 'Wyt ti'n meddwl eu bod wedi bwyta popeth? Neu falle'u bod nhw wedi mynd â'r losin gyda nhw, rhag ofn i ni ddod i chwilio.'

'Na,' meddai Sam yn bendant. 'Gwelais i nhw'n mynd allan a doedd dim sôn am y losin. A fyddai neb, dim hyd yn oed Amanda Porter, wedi gallu bwyta'r losin i gyd.'

Chwilion ni eto, ond heb lwc.

'Dwi'n mynd i'w lladd nhw!' hisiodd Sam.

Yna dyma lais y tu allan yn dweud, 'Sam? Mel? Chi sy 'na?'

Bues i bron â chael ffit.

'Fi, Ali sy 'ma.' Daeth pen Ali i'r golwg. 'Mae cinio'n barod. Bydd yr M&Ms yn ôl mewn munud. Gwell i chi frysio!'

'Dere! Mas â ni!' dwedais wrth Sam. Cydiais yn ei llawes ac fe faglodd hi a chwympo ar ben y rhes dwt o welingtons a oedd yn sefyll ar hyd ymyl y babell. Ac wrth iddyn nhw ddisgyn fel dominos, rholiodd losin dros y lle.

'O, iych!' gwichiodd Sam. 'Maen nhw wedi cuddio'r losin yn eu welingtons!'

''Sdim ots!' sgrechiais. 'Dere!'

Cydion ni yn y bagiau losin a dianc ar ras. Roedd Ali newydd roi hwb i ni i mewn i'n pabell, pan ddaeth Nia rownd y gornel.

'Cinio'n barod, ferched!' meddai gan wthio'i phen drwy'r fflap. 'Dwi wedi bod yn eich galw chi!'

'Mae'n ddrwg gynnon ni,' parablodd Sara. 'Rydyn ni wedi bod yn siarad â'n gilydd ac yn dweud mor wych yw'r gwersyll.'

'Dwi'n falch o glywed, ond rydyn ni'n tostio brechdanau wrth y tân ac mae eisiau cael pawb at ei gilydd,' meddai Nia.

'Dod nawr!' meddai Ali.

Arhoson ni i wneud yn siŵr fod Nia wedi mynd, wedyn dyma ni i gyd yn dechrau giglan. Taflodd Sam a fi y bagiau losin i'r llawr i ddangos i'r lleill. Wedyn fe wthion ni'r bagiau i waelod ein sachau cysgu. Fyddai neb yn meiddio edrych fan'ny!

'Bydd ein losin ni'n drewi ar ôl cyffwrdd â'r M&Ms,' meddai Sam gan grychu'i thrwyn.

'Wel, o leia rydyn ni wedi'u cael nhw'n ôl,' meddai Ali. 'Diolch, chi'ch dwy.'

'Popeth yn iawn,' meddai Sam.

Syllais i arni. 'A . . .' dwedais.

Edrychodd Sam yn syn.

'Mae'n ddrwg gen ti . . .' dwedais.

'O ie. Mae'n ddrwg iawn gen i 'mod i wedi

dweud pethau cas amdanoch chi'n cystadlu yn y Cwpan Antur!' dwedodd ar ras.

'Fe wnawn ni'n gorau,' meddai Ali. 'Allwn ni ddim gwneud mwy. Cofia di hynny, Sam.'

Nodiodd Sam. 'Gwnaf, os galla i,' meddai'n wylaidd. Yna fe siriolodd. 'Mae gen i aelod newydd i'r tîm hefyd,' meddai, gan wenu o glust i glust.

'Pwy?' meddai pawb.

Stryffagliodd Sam i dynnu rhywbeth o dan ei siwmper. Tedi oedd e. 'Dwi wedi cipio hwn o babell yr M&Ms,' meddai'n falch. 'Ac os ydyn nhw am weld y tedi 'ma'n fyw eto, rhaid iddyn nhw ddangos parch aton ni!'

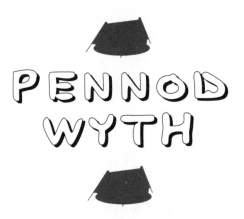

PENNOD
WYTH

Cyn i ni gael cyfle i ofyn i Sam beth oedd hi'n mynd i'w wneud â'r arth, neidiodd ar ei thraed a dweud, 'Dewch i gael cinio. Dwi'n clemio.'

Mae bola Sam fel pwll diwaelod.

Pan aethon ni at y tân, roedd pawb arall yno'n barod. Edrychodd yr M&Ms yn ddrwgdybus iawn arnon ni, ond chymeron ni ddim sylw. Gan mai'r Teletybis oedd yn coginio, roedd yn rhaid iddyn nhw estyn y bwyd i ni hefyd. Drwy lwc, Seren Morris estynnodd ein bwyd ni, felly doedd dim rhaid i ni boeni. Doedd yr M&Ms ddim wedi cael cyfle i'w wenwyno!

Fe gawson ni ddarn o ffoil yr un – od iawn!

Ond yna fe gawson ni ddau ddarn o fara menyn a thafelli tenau o gaws a daeth popeth yn glir. Roedd yn rhaid i ni roi'r darn o fara menyn wyneb i waered ar y ffoil, wedyn y caws, ac yna rhoi'r darn arall o fara menyn ar ei ben gyda'r menyn ar y top. Wedi i ni orffen, fe blygon ni'r papur arian i wneud parsel bach a'i roi i Nia er mwyn iddi hi ei ddodi ar y cols. Ar ôl pum munud roedd hi'n ei droi drosto, ac ymhen pum munud arall roedd e'n barod. Iymi!

Ar ôl i ni fwyta, dwedodd Nia, 'Hon yw'r noson ola, cofiwch. Gobeithio eich bod wedi paratoi ar gyfer y cyngerdd.'

Mega-panig! Roedden ni wedi anghofio'n llwyr.

'Bydd rhaid i ni ymarfer un o'n dawnsiau,' meddai Ali.

'Ond fydd gyda ni ddim amser!' meddai Ffi. 'Rydyn ni'n mynd i ddysgu sgiliau map rownd Cwm Cadno y pnawn 'ma. Fe fydd hynny'n cymryd oesoedd.'

'Rhaid i ni ymarfer rhwng pob pwynt rheoli,' meddai Sam.

A dyna wnaethon ni. Mae gyda ni ddawns

sy'n gymysgedd o Cic a'r Spice Girls. Roedden ni'n edrych yn hanner call yn ei dawnsio yn ymyl y wal ddringo neu ar y cae saethyddiaeth. Roedd y canu'n waeth byth, achos doedd neb yn cadw amser. Fel arfer rydyn ni'n dawnsio ac yn canu i fiwsig casét. Heb y casét mae'n fwy anodd o lawer – wir i ti.

'Rydyn ni'n anobeithiol!' cwynodd Ffi. 'Bydd pawb yn chwerthin am ein pennau.'

'Feiddian nhw ddim!' meddai Sam. 'Ha! Dwi newydd gofio. Mae gyda fi fabi bach fan hyn.' Tynnodd hi dedi'r M&Ms o'i phoced.

'Beth wyt ti'n mynd i wneud efo fo?' gofynnodd Sara.

'Gwylia,' atebodd Sam.

Roedden ni'n sefyll ar lan y pwll brogaod. Yn hongian drosto roedd llwyn mawr anniben.

'Hwyl, tedi!' chwarddodd Sam, gan estyn ei braich a gwthio'r tedi rhwng y canghennau.

'Ddylen ni adael llythyr i'r M&Ms yn hawlio gwobr am roi tedi'n ôl?' gofynnais i Sam.

'Ond wedyn fe fyddan nhw'n gwybod mai

ni sy wedi ei ddwyn,' meddai Ffi mewn braw. 'A byddwn ni mewn helynt.'

'Fe fydd yr M&Ms mewn helynt hefyd,' meddai Sam. 'Os dwedan nhw wrth Nia amdanon ni, bydd yn rhaid i ni ddweud amdanyn nhw'n cripian i mewn i'n pabell ac yn dwyn y wledd ganol nos.'

Roedd Sam yn iawn, ond doedd neb yn hoff iawn o'r syniad. Roedd e'n rhy beryglus.

'Be fedrwn ni 'i roi yn y llythyr?' gofynnodd Sara. 'Fedrwn ni ddim gofyn am bres, siŵr iawn.'

'Gallwn ni fynnu bod pawb yn ffrindiau tan ar ôl y Cwpan Antur fory,' awgrymodd Ali. Mae hi bob amser yn gall iawn.

'Yna, os enillwn ni, fe fyddwn ni wedi ennill yn deg!' chwarddais.

'*Os*!' gwaeddodd Sam. 'Heb *os* nac oni bai rydyn ni'n mynd i ennill! Nawr am y gynta i gyrraedd y pwynt rheoli nesa.'

Yn anffodus roedden ni'n rhedeg tuag at Rownd a Rownd. Doedden ni ddim wedi bod yn agos ato ers y diwrnod cyntaf, a phan welodd Ffi'r cwrs bu iddi bron â chael ffit.

Aeth hi'n wyn, wyn ac fe ddechreuodd grynu. Ro'n i'n siŵr ei bod hi'n mynd i lewygu.

'Dere mla'n, Ffi,' dwedais. 'Cofia beth ddwedon ni. Rwyt ti cystal ag unrhyw un. Cymer bwyll fory, dyna i gyd.'

Roedd Anti Mai'n sefyll yn ymyl y cwrs antur, achos chewch chi ddim mynd arno heb oedolyn. Sylwodd hi fod Ffi mewn panig, ac fe'i perswadiodd i fynd ar y cwrs am funud neu ddwy er mwyn cyfarwyddo ag e. Doedd Ffi ddim eisiau mynd yn agos, ond wrth gwrs roedden ni i gyd yn gwasgu arni. Ro'n i'n teimlo trueni mawr drosti, wir. Ond fe ddaeth i ben yn iawn – aeth hi dros y rhwydi hyd yn oed.

Ond yna fel arfer fe ddifethodd Sam bopeth. 'Wnawn ni byth ennill os wyt ti'n mynd i symud fel malwen,' gwaeddodd. 'Brysia, wnei di!'

Rhewodd Ffi a methodd fynd gam ymhellach. Roedd pawb arall yn grac iawn tuag at Sam.

'Ca' dy ben!' gwaeddodd Ali. 'Mae Ffi'n gwneud ei gorau. Rydyn ni wedi cael llond bol o dy sŵn di! Gad lonydd i ni, wnei di.'

O na! Dim eto! Roedd e'n erchyll. Aeth Sara ac Ali i gysuro Ffi, a oedd newydd lithro i lawr y siglen raff a gwrthod mynd yn ei blaen. Aeth Sam i ffwrdd mewn hwyliau drwg ac roedd yn rhaid i fi esgus i Anti Mai bod popeth yn iawn.

Sut llwyddon ni i orffen y cwrs sgiliau map heb ddechrau ymladd? Does gen i ddim syniad. Ond yn waeth byth, roedd yn rhaid i ni berfformio gyda'n gilydd yn y cyngerdd ger y tân y noson honno. Doedden ni ddim wedi cael cyfle i ymarfer yn iawn a doedden ni ddim yn siarad â Sam. Wel, ro'n i'n siarad â hi, ond doedd neb arall yn gwneud. A doedden ni ddim wedi cael cyfle i ddweud wrth yr M&Ms ein bod wedi cipio un o'u tedis. Ond doedd dim cymaint o ots am hynny.

Roedd y tân ei hun yn mega-cŵl. Wel, fe fyddai'n cŵl petaen ni i gyd yn ffrindiau. Ond roedden ni'n teimlo fel petai'r Clwb wedi ei hollti'n ddau. Roedd Sam wedi mynd mor bosi. Felly pan oedden ni'n paratoi ein tatws pob ac yn iro'r tuniau ar gyfer y pwdin afal, roedd Sam yn eistedd ar ei phen ei hun, yn mwmian dan ei gwynt.

Fe gawson ni hwyl ta beth, achos roedd yr M&Ms dwl wedi rhwbio *Fairy Liquid* dros du mewn eu tuniau, yn lle'r tu allan. Felly pan roddon nhw'r tuniau ar y tân, roedd swigod yn codi o'r bwyd. Iych!

Tra oedd ein tatws yn pobi a'r pwdin yn oeri, fe gawson ni'r cyngerdd. Roedd pob grŵp yn ei dro yn perfformio o flaen y lleill. Doedden ni ddim yn edrych ymlaen, ond fe gawson ni fwy o sioc nag oedden ni'n ddisgwyl.

Ar y dechrau roedd popeth yn iawn. Canodd Planed Plant gân ddoniol o'r enw 'Dannedd Dodi Dad', wedyn dwedodd Uned 5 stori sbŵci iawn am ferched a aeth ar goll mewn gwersyll. Roedd croen gŵydd droston ni i gyd ar ôl gwrando arni ac fe swation ni'n glòs at ein gilydd. Roedden ni eisiau perfformio nesa er mwyn cael diwedd arni, ond na, fe fynnodd Emma Davies mai tro'r Teletybis oedd hi. Dyfala be wnaethon nhw? Esgus bod yn Teletybis wrth gwrs! On'd oedden nhw'n glyfar?! Doedd dim rhaid i Amanda Porter wisgo lan. Roedd hi'n goch i gyd ac mae ganddi gwrlyn o wallt ar dop ei phen. Roedd hi'r un ffunud â Po.

O'r diwedd fe ddaeth ein tro ni. Roedden ni wedi penderfynu canu a dawnsio i fiwsig Steps. Doedden ni ddim yn disgwyl i Sam ymuno â ni, felly dwedodd Ali, 'Dim ond pedair ohonon ni sy, achos dyw Sam ddim yn teimlo'n dda.' Trodd i edrych ar Sam a syllodd Sam yn ôl arni.

'Dwi'n teimlo'n dda iawn, diolch,' meddai. 'Dwi'n mynd i ddawnsio hefyd.'

Rholiodd Ali ei llygaid ar bawb arall a dyma ni i gyd yn paratoi i ddawnsio. Safodd Sam yn y rhes flaen. Rhifodd Ali 'Un, dau, tri . . .' ac i ffwrdd â ni. I gychwyn doedden ni ddim yn cadw amser ac roedd yr M&Ms a'u ffrindiau dwl yn chwerthin yn slei. Wrth gwrs fe wylltiodd Sam ac yn sydyn dyma hi'n dechrau gwneud rhyw ddawns wallgo a hollol newydd. Gwnaeth pawb arall eu gorau i ganu a dawnsio, ond roedd llygaid pawb wedi eu hoelio ar Sam. A wir i ti, roedd hi'n arbennig!

Alla i ddim cofio beth ddigwyddodd nesa, achos fe ddigwyddodd mor sydyn. Rhaid bod pen Sam yn troi, achos roedd hi'n dawnsio mor wyllt. Ond roedd hi hefyd yn dawnsio'n agos iawn at yr M&Ms. Dwi bron yn siŵr 'mod i wedi gweld Emma Davies yn estyn ei throed, a'r funud nesaf roedd Sam yn baglu tuag at y tân. Yna fe sgrechiodd. Chlywais i erioed y fath sgrech.

Rhedon ni ati. Roedd Nia wedi symud yn gyflym iawn, pan welodd hi Sam yn baglu i gyfeiriad y tân, ond doedd hi ddim yn ddigon cyflym i'w dal.

'Wyt ti'n iawn?' gofynnodd Ali'n ofidus. Roedd Sam wedi disgyn i'r llawr.

'Mae fy migwrn i'n gwneud dolur,' atebodd Sam, gan wingo mewn poen.

Plygodd Nia drosti a theimlo'i migwrn yn ofalus. 'Dwyt ti ddim wedi torri dy figwrn,' meddai, 'ond rwyt ti wedi ei droi'n go ddrwg. Fe wna i ei rwymo ac wedyn fe gaiff dy dad gael golwg arno pan ei di adre fory.'

Rwyt ti'n gwybod bod tad Sam yn ddoctor, on'd wyt ti? Mae Sam yn dwlu ar bethau meddygol hefyd, felly roedd hi wrth ei bodd, er ei bod hi mor wyn â'r galchen. Roedd pawb yn tyrru o'i chwmpas, gan gynnwys yr M&Ms, ac fe welais i wên fach gas iawn ar wyneb Emma Davies.

Ar ôl i Nia rwymo migwrn Sam, helpais i ac Ali hi i godi ac i hopian at y boncyff agosa.

'*Fi* oedd yn eistedd fan'na!' meddai Emily Mason yn gas.

'Wel, bydd rhaid i ti eistedd yn rhywle arall, on'd bydd?' meddai Nia'n dawel. 'Dwi am i chi ofalu am Sam ac estyn pethau iddi.'

Chwarddodd Sam dros y lle. 'Dwi'n mynd i gael amser braf!' meddai wrthon ni, pan oedd Emma Davies yn nôl taten iddi. Rhwng un peth a'r llall chawson nhw ddim munud o lonydd gan Sam drwy'r nos. Roedden ni yn ein dyblau pan welson ni nhw'n rhedeg fel morgrug o le i le. Ac roedden nhw'n casáu pob munud, roedd hynny'n amlwg!

Wnaethon ni ddim sylweddoli beth fyddai codwm Sam yn ei olygu i ni nes oedden ni yn y gwely – o'r diwedd. Cyn mynd i'r gwely, roedd yn rhaid i ni helpu Sam i hercian i'r caban toiledau.

'Beth am y Cwpan Antur?' gofynnodd Sara'n sydyn. 'Sut medrwn ni gystadlu rŵan?'

Aeth wyneb Sam yn wyn fel lliain. Wir, ro'n i'n meddwl ei bod hi'n mynd i lefain.

PENNOD NAW

'Y Cwpan Antur!' llefodd Sam. 'Y Cwpan Antur! Dwi wedi breuddwydio am ei ennill e, a nawr alla i ddim cymryd rhan!'

Edrychon ni i gyd ar ein gilydd. Ro'n i'n teimlo trueni mawr dros Sam, ond doedd dim fedrwn i ddweud i godi ei chalon.

'Falle galla i gystadlu wedi'r cyfan,' meddai Sam gan swnio'n hapusach. 'Os bydda i'n ofalus, fe fydda i'n iawn.'

'Paid â bod mor ddwl!' meddai Ali. 'Fe wnei di fwy o ddolur i ti dy hun.' Edrychodd ar bawb arall ac yna trodd at Sam. 'Dwi'n gwbod dy fod ti wedi gyrru'n ni'n wallgo gyda'r holl sôn am y Cwpan Antur,' meddai Ali wedyn, 'ond mae'n bwysig i ti, felly fe wnawn ni'n gorau i'w ennill fel anrheg fach i'th helpu di i wella.'

Doedd Ffi ddim yn edrych yn siŵr iawn. 'Ond alla i ddim!' llefodd a'i llygaid yn llawn dagrau. 'Beth os bydda i'n eich siomi chi?'

'Fe fyddi di'n iawn a wnei di ddim ein siomi ni!' meddai Sam wrthi. 'Rhaid i ti gredu ynot ti dy hun, dyna i gyd. A bydda i yno i dy gefnogi di!'

Nawr doedd hwnna ddim yn syniad da.

'Fydda i ddim yn gweiddi pethau cas, wir!' addawodd Sam. 'A dyma'r tro ola i fi ddweud hyn – mae'n ddrwg iawn gen i am fynd dros ben llestri. Dwi'n casáu cweryla gyda chi i gyd!'

Taflon ni ein breichiau am ein gilydd o gwmpas y polyn.

'Waw! Rydyn ni fel sgrym rygbi!' chwarddodd Sam ac fe chwarddodd pawb arall hefyd. Heblaw Ffi. Fe ges i'r ig eto.

'Mel, oes rhaid i ti?' chwarddodd Ali gan wasgu ei bawd i gledr fy llaw.

'Mae . . . hic . . . yn ddrwg gen i!' Ro'n i'n dal i giglan.

Yn sydyn pwniodd rhywun wal y babell.

'Oi! Chi! Ydych chi wedi bod yn ein pabell ni?' Emma Davies oedd yno.

'Ac wedi dwyn ein gwledd ganol nos?' gofynnodd Amanda Porter.

'Ein gwledd ganol nos *ni* oedd hi, os wyt ti'n cofio!' atebodd Sam.

'Wel, rwyt ti wedi dwyn Tedi Tawe hefyd,' cwynodd Emily Mason. 'A dwi eisiau fe'n ôl.'

'Tydy babi ddim yn medru cysgu heb tedi-wedi?' gofynnodd Sara mewn llais bach dwl.

'Chi sy wedi ei ddwyn e a dwi'n mynd i ddweud wrth Nia!' Roedd y Coblyn mewn strach.

'Cer di ac fe ddwedwn ni eich bod chi wedi dwyn ein pethau ni,' meddai Sam. 'Ac fe ddweda i dy fod ti wedi fy maglu i, Davies. Gallet fod wedi fy niweidio i am byth!'

Aeth pobman yn dawel. Yna, ychydig eiliadau'n ddiweddarach, fe glywson ni lais Nia. 'Wel, wir, Emma, doeddwn i ddim yn disgwyl gweld merch gall fel ti yn crwydro o gwmpas yr amser hyn o'r nos. Cer yn ôl i'r babell, nawr. A dwi ddim eisiau clywed rhagor o sŵn!'

Arhoson ni nes oedd hi wedi mynd, yna fe ddechreuon ni chwerthin.

'Dyw'r ddwy 'na ddim fel arfer mewn trwbwl,' chwarddodd Ffi. 'Maen nhw'n ddwy angel fach.'

'Eitha reit â nhw!' chwarddais. 'Hei! Mae'r ig wedi mynd. Mae'r sioc wedi 'ngwella i!'

'Dewch i ddathlu 'te,' meddai Sam a dyma hi'n tynnu'r losin o waelod ei sach gysgu. 'Y Clwb Cysgu Cŵl! Ffrindiau am byth!'

Codon ni'n losin cola ac esgus yfed.

'Buddugoliaeth i'r Clwb Cysgu Cŵl yn y Cwpan Antur!' dwedais. Ond fe wnes i ddifaru'n syth. Roedd Ffi'n edrych yn ofidus eto.

'Ffi! Byddi di'n bencampwr!' meddai Sam, ac roedd hi o ddifri. Roedd Ffi mor falch o glywed Sam yn ei chanmol. Fe gododd ei chalon ar unwaith. A phwy gafodd y syniad o ddawnsio conga rownd y sachau cysgu am un o'r gloch y bore? Neb llai na Miss Ffion Sidebotham. Cwympais i i gysgu pan ddechreuodd y lleill wneud Dawns Llangrannog yn eu sachau, a dwedodd Ali wrtha i na wnaethon nhw ddim cysgu nes oedd hi wedi tri!

Roedd hi'n amlwg eu bod nhw wedi cael

noson hwyr, achos fi oedd yr unig un oedd yn gwbl effro am saith o'r gloch. Roedd y lleill yn ddiflas ac yn gysglyd. Doedd e ddim yn ddechrau da i ddiwrnod mor dyngedfennol i'r Clwb Cysgu Cŵl!

'Dewch mla'n, y diogiaid!' gwaeddais arnyn nhw. 'Mae gyda ni ddiwrnod pwysig o'n blaenau!'

Ochneidion nhw i gyd a llusgo'u hunain o'u sachau cysgu, a wnaethon nhw ddim deffro'n iawn tan ar ôl brecwast. Diolch byth eu bod wedi deffro bryd hynny, achos fe gawson ni fore prysur iawn. Roedd yn rhaid i ni bacio'n pethau a chario'n bagiau i'r bws mini. Wedyn roedd yn rhaid i ni helpu'r ceidwaid i dynnu'r pebyll i lawr a gofalu bod y tân wedi diffodd. Roedd tair noson o wersylla'n golygu cymaint o waith – ond roedd e'n werth y drafferth. Ac wrth gwrs roedd yr uchafbwynt – i ni, ta beth – heb gyrraedd eto. Oedd, roedd hi'n amser i'r Cwpan Antur o'r diwedd.

Safon ni i gyd mewn rhes wrth y llinell gychwyn ac fe eglurodd Nia ychydig o bethau i ni. 'Nawr, dim ond pedair merch fydd yn cystadlu o bob grŵp,' meddai. 'Mae Sam wedi cael dolur ar ei migwrn ac mae un merch o bob grŵp wedi dweud wrtha i nad ydyn nhw ddim am gymryd rhan. Felly nhw fydd yn rheoli'r timau ac yn codi hwyl!'

Sam oedd y prif godwr hwyl ac roedd Ffi o'i cho.

'Oni bai dy fod ti wedi gwneud dolur i dy hen figwrn, fyddai dim rhaid i fi gystadlu wedi'r cyfan,' hisiodd yn gas.

'Nawr, mae 'na bedwar tîm ond dim ond dwy set o rwystrau, felly bydd Sali Mali a fi'n amseru'r timau. Y grŵp cyflymaf fydd yn ennill,' meddai Nia. 'Felly rydych chi'n cystadlu nid yn unig yn erbyn y tîm nesa atoch chi, ond yn erbyn amserau'r timau eraill hefyd. Ydych chi i gyd yn deall?'

Nodiodd pawb.

'Gobeithio na fyddwn ni'n rhedeg yn erbyn yr M&Ms twp 'na,' sibrydais wrth Ali.

'Gwrandewch,' meddai Nia. 'Bydd Planed Plant ac Uned 5 yn cystadlu'n erbyn ei gilydd ac yna'r Teletybis a'r Marinogion.'

Ochneidiodd pawb.

'Hen dro!' meddai Sara.

'Nawr 'te Planed Plant ac Uned 5, sefwch mewn rhes ac i ffwrdd â ni!'

Roedd hi'n brysur iawn wrth y llinell gychwyn, felly fe symudon ni'n ôl. Roedd y ddau dîm yn ceisio penderfynu pwy oedd yn mynd i redeg gyntaf. Roedd yr M&Ms yn prowlan hefyd.

'P'un ohonoch chi sy'n ormod o fabi i redeg 'te?' gofynnodd Sam.

Aeth Amanda Porter yn goch fel tomato.

'Wrth gwrs! Rwyt ti mor fawr fe fyddet ti'n mynd yn sownd yn y twnnel!' chwarddodd Ffi.

Dwi ddim yn hoffi gweld merched yn cael eu pryfocio am fod ychydig bach yn fwy na phawb arall, yn enwedig gan fod Ffi wedi dweud rhywbeth tebyg wrtha i unwaith. Ond mae Amanda Porter yn wirioneddol gas, felly roedd hi'n haeddu popeth.

'Ble mae Tedi Tawe, y lladron bach sbeitlyd?' gofynnodd Emily Mason.

'Fe gei di dy dedi'n ôl os ydych chi i gyd yn addo chwarae'n deg,' meddai Ali'n bendant. 'Os ydych chi'n chwarae triciau, bydd hi'n Ta-ta, Tedi Tawe. Deall?'

Roedd y Coblyn wedi dychryn. Edrychodd ar ei ffrindiau a nodiodd pawb yn anfodlon.

'Iawn 'te. Y tîm gorau biau'r cwpan!' chwarddodd Sam.

Aethon ni'n ôl i'r llinell gychwyn.

Roedd pawb yn bloeddio wrth i'r ddau dîm ddechrau arni. Roedd Planed Plant yn anhygoel. Merch o'r enw Rachel Sutherland oedd yn rhedeg gyntaf iddyn nhw. Roedd hi fel mwnci bach yn swingio dros y rhwystrau.

'Waw! Edrychwch arni!' Roedd Sam wedi dotio. 'Gobeithio bod pawb yn cymryd nodiadau!'

Dechreuodd Ffi neidio o un droed i'r llall. Roedd hi mor nerfus! Pan aeth y ddwy ferch nesa, fe ddechreuodd Uned 5 ennill tir ryw ychydig, felly erbyn i'r cystadleuwyr ola redeg dros y rhwystrau, roedd y ras yn dynn iawn.

Cystadleuydd olaf Planed Plant oedd Hannah Williams. Mae hi yn ein hysgol ni ac mae hi'n dda iawn am chwaraeon. Hi yw capten ein tîm pêl-rwyd ni. Fe aeth hi dros y rhwydi fel y gwynt. Roedd hi'n anhygoel.

'Wnawn ni byth guro eu hamser nhw!' dwedais.

'Gwnawn wrth gwrs!' meddai Sam yn bendant. 'Iawn. Ni sy nesa. Mel, cer di gynta i roi cychwyn da i ni, wedyn Ffi, wedyn Ali. Sara, ti yw'r ola. Fe fyddwn ni'n dibynnu arnat ti!'

Closion ni i gyd at ein gilydd.

'Rhedwch er fy mwyn i!' meddai Sam. 'A gadewch i ni roi crasfa i'r M&Ms dwl.'

Camon ni i gyd yn ôl a tharo dwylo.

'Pathetig!' poerodd Emma Davies.

'Cawn ni weld pwy sy'n pathetig!' meddai Sam yn wybodus.

Ac yna roedd hi'n bryd i fi redeg.

Cyn gynted ag y chwibanodd Nia, fe garlamais i lawr y cwrs. Ro'n i'n gallu clywed Sam yn gweiddi, ond wnes i ddim edrych arni. Rhedais dros y rhwystr a cherdded dros y boncyff heb gwympo. Ffab-o! Ro'n i'n hedfan bron iawn. Roedd e bron cystal â charlamu ar gefn ceffyl.

'Dere, Mel! Rwyt ti'n bell ar y blaen!' gwaeddodd Sam. ''Sdim clem gan Seren Morris!'

Erbyn i fi gropian drwy'r twnnel a mynd yn ôl dros y rhwydi, ro'n i'n gwybod 'mod i'n bell ar y blaen. Dyna deimlad braf oedd swingio dros y ffos ar raff! Gallwn i fod wedi swingio drwy'r dydd. Ond roedd gen i rywbeth pwysicach i'w wneud. Dim ond y siglen deiars oedd ar ôl ac wedyn gallwn i drosglwyddo i Ffi. Ro'n i'n gallu gweld Ffi'n disgwyl amdana i wrth y llinell gychwyn. Wna i byth anghofio'i hwyneb. Roedd hi'n wyn fel lliain, fel petai hi'n swp sâl. Gwibiais drwy'r teiar a thaflu fy hun dros y llinell.

'Mae'n hawdd, Ffi! Wir! Rwyt ti'n bell ar y blaen. Mwynha dy hun!' gwichiais.

Doedd dim gobaith i Ffi fwynhau ei hun, ond cyn gynted ag y cyffyrddais â'i llaw, i ffwrdd â hi. Daliodd pawb eu hanadl. Dyma gyfle Ffi i serennu. Ond a fyddai ei nerfau'n drech na hi?

PENNOD DEG

Nawr, rhaid i fi ddweud wrthot ti, doedd pethau ddim yn argoeli'n dda i Ffi o'r cychwyn cyntaf. Roedd yn rhaid iddi gael tri chynnig ar y glwyd a doedd hi ddim yn glwyd uchel. Ro'n i'n meddwl ei bod hi'n mynd i gael ffit pan redodd dros y boncyff a gweld y mwd oddi tani.

'Dere 'mla'n, wnei di!' Roedd Sam yn mwmian dan ei hanadl. 'Mae Alana Banana bron â dy ddal di.'

'Da iawn, Ffi!' gwaeddais. 'Cymer dy amser ac fe fydd popeth yn iawn.' A – bues i bron â dweud – paid ag edrych ar wyneb sarrug Sam!

'Mae'n rhaid i ti ei chanmol hi,' dwedais wrth Sam. 'Fe redith hi'n well wedyn.'

Snwffiodd Sam ond fe waeddodd, 'Da iawn, Ffi! Rhedeg drwy'r teiars sy nesa. Dim prob!'

A doedd dim problem. Mae Ffi mor ysgafn ac mor chwim, fe ddawnsiodd hi drwy'r teiars, fel petaen nhw ddim yno.

'Ardderchog!' gwaeddodd Sam a gwaeddais i 'Hwrê!'

Roedd Alana Banana wedi cwympo o ben y boncyff ddwywaith, felly roedd hi'n edrych yn fawlyd ac yn ddiflas. Roedd Ffi'n bell ar y blaen. Ond roedd y rhwydi erchyll rownd y gornel.

'Iawn, Ffi, cymer dy amser,' gwaeddais. 'Meddylia am ffens sigledig. Dydyn nhw ddim gwaeth na ffens.'

Roedd Ffi'n gwneud ei gorau glas. Ro'n i bron iawn yn gallu clywed ei dannedd yn crensian wrth iddi blygu ei phen a rhuthro yn ei blaen. Roedd Anti Mai yn sefyll wrth waelod y rhwydi yn gweiddi'n galonnog. Ond dwi'n meddwl mai clywed Sam yn gweiddi, 'Mae'r M&Ms yn dy wylio di, Ffi. Dangos iddyn nhw pa mor ddewr wyt ti,' wnaeth ysbrydoli Ffi. Dringodd hi'r rhwyd fel gwiwer a thaflodd ei hun dros y top. Roedd hi'n wych.

'Ffi am byth!' gwaeddais i a Sam, gan sboncio fel brogaod. 'Rwyt ti'n bell ar y blaen. Dal ati!'

Roedd popeth arall yn hawdd fel baw. Roedd Ffi fel petai wedi trechu eu hofnau ac yn mwynhau ei hun. Pan ddaeth hi at yr ail set o rwydi fe ddringodd drostyn nhw fel pencampwr. Allwn i ddim credu mai hon oedd ein Ffi ni. Falle bod dynion o'r gofod wedi ei chipio a rhoi Ffi arall yn ei lle. Ond doedd dim ots! Roedden ni'n curo'r Teletybis yn rhacs.

Fe fuodd 'na un cam gwag pan gollodd Ffi ei gafael ar y rhaff a gorfod cael dau gynnig ar groesi'r ffos. Ond erbyn hynny doedd dim gwahaniaeth, achos roedd hi mor bell o flaen Alana Banana.

Roedden ni bron â chael sterics erbyn i Ffi redeg adre. Wrth gwrs roedd yn rhaid i Ali a Sara redeg eto, ond doedden ni ddim yn poeni amdanyn nhw. Roedden ni wedi hen ennill – yn ein barn ni!

Dyma'r peth cynta aeth o chwith – doedd Ali ddim yn barod pan ddaeth Ffi'n ôl! Doedd hi ddim wedi disgwyl i Ffi orffen mor gyflym, dwi'n meddwl, felly roedd hi'n clymu ei charrai pan ddaeth Ffi i'r golwg. O achos hynny fe gollon ni dir. Ac roedd Ali'n cystadlu'n erbyn Emma Davies.

O leia roedd gan Ali dair o gefnogwyr, sef Sam a Ffi a fi. Rhedon ni ar hyd ochr y cwrs i roi hwb iddi. Roedd Ffi wedi cynhyrfu'n lân ac yn gweiddi mor 'hawdd' oedd popeth, a oedd yn dipyn o jôc o ystyried y drafferth gawson ni ganddi. Dwi ddim yn meddwl bod Ali'n hapus iawn chwaith. Yn enwedig pan oedd ei throed yn sownd yn y rhwyd ddringo a hithau'n hongian am rai eiliadau a'i phen i lawr.

Chafodd Emma Davies ddim llawer o gefnogaeth o gwbl. Roedd Amanda Porter yn rhy dew i redeg ochr yn ochr â hi, roedd Alana Banana yn dal i deimlo'n wan, roedd Seren Morris wedi blino'n lân ac roedd Emily Mason yn sefyll yn ymyl Sara wrth y llinell gychwyn. Ond roedd hi'n amlwg bod Emma Davies yn benderfynol o'n curo ni, achos

roedd hi'n dilyn yn dynn wrth sodlau Ali.
Felly pan ddaeth tro Sara, roedd hi ac Emily
Mason ochr yn ochr.

Ro'n i ar bigau'r drain pan redon nhw dros
y rhwystrau cyntaf. Ond erbyn iddyn nhw
gyrraedd y rhwyd gyntaf, roedd y ras ar ben.
Roedd wyneb Mason yn wyrdd. Roedd
cymaint o ofn arni. Mae fy ffrindiau wastad
yn dweud wrtha i 'mod i'n rhy galon-dyner,
ond ro'n i'n teimlo trueni mawr drosti, er ei
bod hi'n un o'n gelynion penna.

Roedd y sŵn o'n cwmpas yn fyddarol,
achos roedd y timau eraill yn bloeddio hefyd.
Sara ac Emily oedd y cystadleuwyr olaf yn y
Cwpan Antur. Roedd popeth yn dibynnu ar eu
hamserau nhw.

'Hawdd-pawdd, Sara!' gwaeddodd Sam
wrth i Sara wibio dros y rhwydi. 'Rwyt ti ar
dy ben dy hun. Mae'r Coblyn mewn strach.'

Fe welais i Sara'n oedi ac yn edrych dros ei
hysgwydd ar Emily. Ond gwaeddodd Sam
arni a rhedodd Sara at y twnnel tra oedd
Emily'n stryffaglio ar ben y rhwydi.

'Mae hi'n bell ar y blaen. Fetia i ein bod
ni'n curo Planed Plant hefyd!'' chwarddodd

Sam. 'Dwi'n mynd i ofyn i Nia beth oedd eu hamser nhw.'

Herciodd i'r llinell derfyn lle'r oedd Nia'n sefyll gyda'i stopwatsh, a welodd hi mo Sara'n arafu. Roedd Emily Mason wedi cripian drwy'r twnnel tanddaearol a nawr roedd hi'n edrych yn swp sâl. Roedd Emma Davies yn gweiddi arni i redeg. Roedd ei hwyneb yn goch ac yn grac – dyna olwg oedd arni!

Roedd Sara wedi clywed y sŵn y tu ôl iddi wrth iddi ddechrau dringo'r ail rwyd. Edrychodd dros ei hysgwydd a gwelodd fod Emily Mason mewn trafferth. Roedd hi'n amlwg mewn dau feddwl.

Roedd Ali, Ffi a fi yn gweiddi'n groch, felly daliodd Sara ati i ddringo i ben y rhwydi. Roedd hi ar fin swingio dros y top pan ddechreuodd Emily lefain oddi tani. Roedd hi'n cydio'n dynn yn y rhwyd ac yn methu symud. Heb feddwl, aeth Sara'n ôl ati, dwedodd rywbeth wrthi, a dyma'r ddwy'n dringo'r rhwydi'n araf gyda'i gilydd. Gwyliodd Sara Emily'n mynd drosodd, wedyn fe ddilynodd hi. Ar ôl gwneud yn siŵr bod Mason yn iawn, neidiodd i lawr a rhedeg fel milgi. Llamodd at y rhaff, a gwibio at y siglen deiar. Honno oedd y rhwystr olaf.

'Ble wyt ti wedi bod?' sgrechiodd Sam wrth i Sara redeg dros y llinell derfyn. 'Roedden ni ymhell ar y blaen ac wedyn fe sarnaist ti bopeth. Rwyt ti wedi colli'r Cwpan i ni drwy helpu'r M&Ms o bawb!' Tasgodd y geiriau allan, fel petai hi'n poeri baw o'i cheg.

Roedd Sara'n ymladd am ei hanadl. 'Mae'n ddrwg gen i,' gwichiodd. 'Ond roedd hi wedi cael ofn. Fedrwn i mo'i gadael hi!'

'Byddwn i wedi'i gadael hi!' chwyrnodd Sam. 'Planed Plant sy wedi ennill. Dim ond tri deg eiliad ar y blaen oedden nhw. Tri deg eiliad. Fe gollaist ti'r ras drwy helpu'r dwpsen 'na. 'Na'r anrheg waetha ges i erioed!'

Herciodd Sam i ffwrdd yn grac. Roedd Sara druan yn siomedig iawn. 'Wyddwn i ddim beth i'w wneud!' llefodd sawl gwaith.

Pan ddaeth hi'n amser y seremoni wobrwyo, allen ni ddim dioddef edrych. Roedd y cwpan lliw aur yn disgleirio. Ni ddylai fod yn ei godi ac yn ei ddal uwch ein pennau fel Cwpan y Byd.

'Fe foddon ni yn ymyl y lan!' mwmiodd Ali.

Yna fe gawson ni syndod. 'Dim ond un

gwobr sy gyda ni fel arfer,' meddai Nia mewn llais dwys. 'Ond heddiw fe welson ni fod rhywun arall yn haeddu gwobr. Mae Sara, o dîm y Marinogion, wedi dangos beth yw bod yn aelod o'r Urdd. Yn yr Urdd rydyn ni'n addo helpu'n cyd-ddyn – helpu eraill, hyd yn oed os ydyn ni'n gorfod colli rhywbeth ein hunain. Heddiw fe gollodd y Marinogion y Cwpan Antur o achos Sara. Ond dwi am roi gwobr arall – Gwobr Chwarae Teg – a'r Marinogion yw'r tîm cyntaf i'w hennill.'

Fe aethon ni i gyd yn wyllt, ac roedd pawb arall yn curo dwylo hefyd – pawb heblaw yr M&Ms wrth gwrs! Dechreuodd Sam wenu, a chyn hir roedd hi'n llawn hwyliau da, yn chwerthin ac yn chwarae dwli fel arfer.

Cyn gadael y gwersyll aethon ni i achub Tedi Tawe, tedi Emily Mason. Roedd hi'n llawer haws ei roi yn y llwyn na'i gael e i lawr, ond fe lwyddon ni i'w fachu gyda ffon. Roedd Sam wrth ei bodd yn ei daflu at yr M&Ms pan aethon ni ar y bws mini.

'Dyma'ch arth chi!' chwyrnodd. 'Dylech chi fod wedi'i gynnwys e yn eich tîm ar y cwrs antur. Bydde fe'n well na ti, Mason!'

112

Aeth wyneb Emily Mason yn goch ac roedd dagrau yn ei llygaid. Dim ond edrych yn grac wnaeth Emma Davies.

I bryfocio'r M&Ms fwy fyth, fe ganon ni 'Ni yw'r Gorau' ar dop ein lleisiau bron yr holl ffordd adre.

Nes i Emma Davies ddweud yn gas, 'Ond nid chi yw'r gorau. Ble mae'ch cwpan chi?'

Er syndod mawr i ni, Ffi o bawb ddwedodd, 'Fe fyddai gyda ni gwpan oni bai am fabis fel chi sy'n gorfod cael eich achub bob pum munud!'

Dechreuon ni sgrechian chwerthin pan ddwedodd hi hynna. Roedd Emma Davies 'run lliw â bitrwt ac roedd Emily Mason yn edrych fel petai hi ar ddisgyn drwy dwll yn llawr y bws mini.

Dydyn ni ddim wedi cael ein gwobr eto. Chawn ni mohoni tan y tymor nesa. Mae Nia'n mynd i gael gwneud tarian yn arbennig, sy'n cŵl. Yn enwedig gan mai ein henwau ni fydd yr enwau cynta arni. Mae Sam yn dweud mai hi biau'r darian, gan ein bod ni wedi ei haddo iddi'n anrheg. Doedden ni ddim o ddifri, wrth gwrs!

113

Mae migwrn Sam dipyn yn well nawr. Mae ei thad wedi dweud wrthi am beidio â rhedeg gormod, felly rydyn ni'n bygwth ei gwthio mewn pram. Dyw hi ddim yn hoffi'r syniad. Alla i ddim deall pam!

A pheth arall, allwn ni ddim aros i weld ein tarian – rydyn ni mor falch ohoni – ond mae 'na bethau pwysicach mewn bywyd nag ennill cwpanau a tharianau, on'd oes? Enillon ni mo'r Cwpan Antur, ond fe gawson ni amser bendigedig yn y gwersyll 'run fath. Ac roedden ni i gyd wedi newid rhyw gymaint erbyn dod adre. Dwi'n meddwl ein bod ni wedi dod i 'nabod ein hunain yn well. Wrth gwrs rydyn ni wedi cael llond bol o Ffi'n brolio am y cwrs antur, ond o leia dyw Sam ddim yn ei phryfocio gymaint ag oedd hi.

Rydyn ni bron â chyrraedd y parc nawr. Wyt ti'n ei weld e, fan'na ar gornel y stryd? Dwi'n meddwl bod pawb yno. Mae Ffi'n esgus ei bod hi ar y cwrs antur am y canfed tro. Ac mae Sam yn edrych yn barod i'w lladd hi. Dere, gwell i ni frysio i helpu Ali a Sara i gadw'r ddysgl yn wastad. Fyddwn ni ddim yn cadw'r cwpan 'Chwarae Teg' am amser hir, yn ôl ei golwg hi!

1

Mae Nia'r Urdd wedi colli ei chariad.
Does dim i'w wneud felly ond chwilio
am gariad newydd iddi. Mae'r merched
yn gwybod yn union pwy i'w ddewis—Harri Hync.
Ond sut mae trefnu dêt rhwng y ddau? Wrth iddyn
nhw gysgu'r nos yn nhŷ Ali, mae'r merched yn
cynllunio. Ond dyw hi ddim yn hawdd!

£2.99

2

Iym! Mae'r merched wedi coginio bwyd blasus
ar gyfer y wledd ganol nos, ond dyw Ffion
ddim yn bwyta, na Mel chwaith.
Beth sy'n digwydd pan mae'r ddwy'n
dihuno yn oriau mân y bore?
Rhaid i bawb sleifio i lawr i'r gegin . . .

£2.99

3

Pan mae Losin, cath Mel, yn diflannu,
mae'r Clwb Cysgu Cŵl yn benderfynol
o ddod o hyd iddi. Ond gwaith anodd
yw bod yn dditectifs! Mae gan yr hen
wraig drws nesa lond lle o gathod.
Ai hi sy'n euog o ddwyn Losin?

£3.50

4

Pryd mae'r cyfarfod nesaf o'r Clwb?
Ar nos Wener . . . nos Wener y 13eg!
Mae Sam wedi paratoi pob math o
driciau erchyll a bwydydd ych-a-fi.
Does ryfedd fod Ffi druan yn crynu yn
nhraed ei sanau. Ond pwy gaiff y sioc
fwyaf, tybed?

£3.50